DESEJO E PLENITUDE

DESEJO E PLENITUDE

Hugh Shearman

TRADUTORA
Zeneida Cereja da Silva

EDITORA TEOSÓFICA S/C
Brasília-DF

Título do Original em Inglês
Desire and Fulfilment

Título em Português
Desejo e Plenitude
1994, Editora Teosófica

EDITORA TEOSÓFICA, Sociedade Civil
SGAS - Quadra 603 - Módulo 20
70 200-630 - Brasília-DF, Brasil
Tel.: (061) 322-7843
Fax: (061) 226-3703

Capa: Fernando Lopes
Composição/Diagramação: João Batista Martins da Silva e Reginaldo A. Araújo
Revisão: Maria Rosinda Ramos da Silva e Regina Vitória Ruzzante

SUMÁRIO

PREFÁCIO DO AUTOR

Os grandes problemas daqueles que buscam levar uma vida plena não residem no conhecimento, e, sim, na vontade. Freqüentemente diz-se que a grande barreira é a ignorância; porém, entender-se ignorância apenas como falta de informação, não reflete a verdade. Quase sempre nossas dificuldades surgem não por não sabermos o que fazer, mas por não querermos fazê-lo. Na realidade, nossos principais problemas encontram-se no aspecto emotivo de nossas vidas. Eles existem em nossa concepção de objetivo e em nossa experiência de realização emocional e criativa. Se se trata de problemas de ignorância, é uma lírica e intuitiva ignorância e não, predominantemente, uma ignorância de caráter intelectual.

Não obstante várias e excelentes obras de reconhecida autoridade em literatura teosófica tenham interpretado a natureza do aspecto criativo e lírico do nosso mundo, bem como o papel representado pelo desejo e pela emoção na vida humana, trata-se de tema que, sem apologia, pode ser novamente interpretado em uma nova geração. Anteriormente, em alguns artigos publicados, o autor já havia abordado o assunto, primeiramente, em um pequeno livro, *The Purpose of Tragedy*, publicado em 1954, e, mais tarde, em *Purpose Beyond Reason*, conferência feita por Blavatsky em 1955, a convite da Sociedade Teosófica, na Inglaterra.

Este ensaio, embora completo em si mesmo, apresenta temas pelo menos já implícitos nos livros há poucos citados. Com estes, o presente ensaio compartilha também outra circunstância comum a todas as três obras: o privilégio de, antes de publicados, os artigos terem sido lidos por Edward Gall, ex-presidente da Sociedade Teosófica na Escócia e que escreveu vários trabalhos sobre temas místicos. O autor deste livro agradece imensamente as sugestões e os comentários inteligentes do Sr. Gall, a maioria dos quais foi aceita e incorporada ao texto.

Hugh Shearman

Adyar, Madras, Índia, 1954.

PREFÁCIO À EDIÇÃO BRASILEIRA

Esta é uma obra que vai ao coração do problema humano e de sua solução. Tanto Platão, quanto Buda, Shankara, Patañjali e outros sustentaram que a ignorância era a causa de todos os males, não por mera questão de falta de conhecimento geral, mas por ignorância a respeito de nós mesmos, por falta de autoconhecimento.

Em *Desejo e Plenitude,* o autor sustenta que "nossos principais problemas encontram-se no aspecto emotivo de nossas vidas"... De uma busca de realização externa, o ser humano necessita passar a encontrar a riqueza da vida interna.

A causa do conflito reside na divisão entre mente e coração. A meditação tem sido apresentada como a solução clássica deste conflito, mas Shearman toca mais uma vez no âmago do problema ao afirmar: "...assim, estudamos os métodos de meditação e obtemos um claro quadro mental do que devemos fazer. O resultado, porém, é que não meditamos de fato, porque - falando francamente - não queremos meditar."

O autor passa, então, a uma rica abordagem das contradições psicológicas do ser humano e seus mecanismos de projeção que dificultam a introspecção e compreensão de nossa natureza pessoal e impessoal. Considera a relação entre os princípios masculino e feminino existentes em nós, donde surge a criança interior que em geral ainda não foi suficientemente compreendida em nós mesmos e nos outros. Daí resultam inúmeras dificuldades nas relações com os outros e com a própria vida. "Durante uma vida", diz-nos o autor, "é necessário que cada indivíduo cresça da infância à fase adulta. A infância é um tempo de receber; a fase adulta, de doar".

A riqueza desta obra parece residir justamente na profunda simplicidade com que, passo a passo, Shearman passa a refletir sobre a Senda vivencial do autoconhecimento que do desejo nos leva à plenitude.

A Editora

1

DESEJO

O jogo do desejo em um mundo humano é fascinante e triste. Freqüentemente, os poetas têm tentado, com muitas imagens líricas, falar a respeito da dor e do *pathos* do desejo humano. Bastante típico é um conhecido lírico de Heine, que pode ser traduzido assim:

"Um solitário pinheiro dormia,
Profundamente envolvido pelo gelo e pela neve,
Em uma montanha, no implacável ártico,
Em meio a escuras e tardias vigílias.

Ele sonha com uma palmeira silenciosa,
Que se encontra plangente e solitária,
Em um distante país oriental,
Sobre uma ardente colina de pedra."

Distante e inalcançável é a meta do nosso amor e do nosso desejo. É como uma princesa distante, e alcançá-la seria a total realização. Sua beleza é a verdadeira síntese de tudo que é encantador na Natureza e no Universo, de tudo de que necessitamos para nos tornarmos completos.

Se possuímos um temperamento romântico, podemos, talvez, devotar-nos àquele alvo do nosso desejo, sempre que aceitarmos o fato de sua distância e de sua inatingibilidade. Em verdade, podemos dizer:

"Eu posso não dar o que
Os homens chamam amor,
Mas aceitarão eles
A adoração que o coração eleva
E os Céus não rejeitam

O desejo da mariposa pela estrela,
Da noite pelo dia,
A devoção a algo distante
De nosso sofrimento?"

Se tivermos, todavia, uma atitude mais atenta, poderemos revelar uma camada ainda mais profunda do nosso desejo e obter uma visão mais desalentadora de nosso dilema emocional. O fato é que começamos a pensar se realmente valeria a pena ou se daria alguma satisfação alcançar tal objetivo. Que bem fariam o pinheiro e a palmeira um ao outro? Que tal se a mariposa alcançasse a estrela? É quase certo que uma estrela é um lugar não muito saudável para uma mariposa. E que tal a noite alcançar o crepúsculo, e o amanhecer, o dia seguinte? Provavelmente este será apenas mais um dia comum e, de qualquer forma, representará, por certo, o fim da noite. Mesmo desejando, na maioria das vezes, estamos conscientes de que o alvo ostensivo do nosso desejo não somente é inatingível, mas, de qualquer maneira, nenhum benefício nos traria, mesmo que pudéssemos atingi-lo.

Com vistas a essa dificuldade, ao nosso problema de desejo e realização, existem duas atitudes tradicionais, em termos de temperamento – a romântica e a clássica.

A atitude romântica é aquela de perpétua busca. A situação romântica na literatura ou na arte sugere sempre um além, algo mais distante, que precisa ser alcançado se desejarmos atingir completa satisfação. Na paisagem romântica há um horizonte distante acenando-nos, ou há colinas envolventes, talvez com o mistério do crepúsculo para além delas, ou há árvores, ou um promontório, alguma fronteira que precisa ser ultrapassada na descoberta de algo posterior. Às vezes, o "além" - objetivo da busca romântica - torna-se inatingível por localizar-se num tempo passado não apenas longínquo mas também bastante remoto, de tal modo que o máximo que dele nos aproximarmos poderá ser nada mais que seu eco. A situação romântica humana também envolve o desejado e ainda inacessível, a princesa distante, a felicidade que se encontra bem ao nosso alcance mas ainda não alcançada, a indefinível sutileza do temperamento de uma outra pessoa, tão fascinante e tão evocativa, como nenhuma outra que conhecemos. Para o romântico, quase sempre é melhor viajar com esperança - ou mesmo com desesperança - do que chegar, ainda que o adiamento possa causar mal ao coração. Chegar é apenas descobrir que é necessário afastar-se outra vez para viagens mais distantes.

A atitude clássica, nas artes ou na vida, também envolve uma busca, mas uma busca mais intensiva que extensiva. Segundo Joshua Reynolds, o artista clássico considera "que todas as artes captam sua perfeição a partir de uma beleza ideal, superior ao que se imagina encontrar na natureza individual". A paisagem clássica, portanto, não nos conduz tanto à forma, mas ao âmago. Seu "além" é a beleza ideal, cujo arquétipo é a expressão necessariamente imperfeita. A condição humana clássica é feita de indivíduos simples, cada qual dominado por certa singeleza de objetivos, que os conduz a um relacionamento intenso e perfeito, em que há uma quase completa personificação do ideal ou, ao contrário, a um conflito irredutível e à tragédia.

A inquietação e o desespero que freqüentemente afligem a pessoa de temperamento romântico têm a sua contraparte em certo conflito interior da mente e do coração, o qual atormenta o indivíduo do tipo mais "clássico". Muito deste conflito surge de um esforço no sentido de definir o ideal por meio da mente racional e de impor isto aos sentimentos e às idiossincrasias. Como necessariamente à definição falta sempre o ideal, e por serem os sentimentos, sem dúvida alguma, passíveis de serem controlados, com a mente agindo sobre eles de fora para dentro, em geral o indivíduo de temperamento clássico é tão atormentado pela ansiedade quanto a pessoa mais romântica, ainda que aquele possa dar um jeito de impor uma aparência exterior de ordem e tranqüilidade em suas ações e em sua conduta.

Tentando enfrentar as exigências do desejo através da mente racional, muitas vezes fazemos com que nosso estado de conflito e inquietação se torne mais frustrado, complicado e doloroso. Muitas pessoas racionalizariam seu desejo e os problemas dele originários, afirmando que o mundo as desagrada de várias formas e que, por conseqüência, tentam mudá-lo e nem sempre o conseguem. Elas sentem que este é o verdadeiro problema e não há muito a fazer, exceto continuar buscando e ansiando, tentando projetar formas novas e inteligentes de mudar o mundo e torná-lo mais de acordo com o desejado por seus corações.

Neste esforço perpétuo, grande destreza e métodos sofisticados são apresentados. Com o intuito de alcançarmos nosso objeto de desejo, outras metas são fixadas, criando-se complicações em cima de complicações. Na elaboração desta desesperada estratégia há violenta competição e crueldade. E, no complicado resultado, que caracteriza nossa ordem social humana, o objetivo original de satisfazer ao desejo do coração deixa de ser alcançado, advindo, então, aborrecimento e frustração - e novos desejos vêm à tona.

Mesmo quando se obtém êxito em moldar o mundo, ou parte dele, conforme o desejo do coração, tal desejo permanece não satisfeito. Detectamos algo parecido na qualidade essencialmente enfadonha implícita em todas as descrições formais de Utopias.

Então, voltando-nos para todas as direções, deparamo-nos com desoladoras barreiras de frustração, seja em nossas vidas individuais ou nas das comunidades. Soluções são propostas, as quais, porém, falham, dada a ação de muitas forças do desejo que tais soluções se propõem controlar. Os modelos de solução social coletiva apresentados por reformistas sociais são destruídos pela força emotiva das massas. E, no que tange aos modelos de solução individual, tais como sistemas de meditação, sucumbem por não querermos aplicá-los. Nós sabemos como aplicá-los e podemos entender sua técnica, mas, quando chega o momento da ação, o desejo toma outro curso qualquer, e não queremos pô-los em prática; em conseqüência, não o fazemos.

Em conclusão, o melhor que se consegue, na maioria das vezes, nada mais é que resistência, a resistência do desapontamento e do que não queríamos que acontecesse. À medida que as pessoas envelhecem, alguns aspectos, em termos de resistência, podem tornar-se mais fáceis, uma vez que as sensações físicas se tornam menos agudas e as necessidades físicas, menos profundas. Todavia, as faces das pessoas mais idosas freqüentemente retratam desapontamento ou apática resignação, quando não amargura. Nelas os anos gravam a história dos "violados segredos do nosso orgulho, a flor adiada, a fruta negada". Hoje, os problemas de nossa vida humana, individual ou coletiva, encontram-se, principalmente, no domínio do desejo, da vontade ou do motivo mais do que no método. Onde há vontade, há um caminho; mas onde deveria estar a vontade, existe a teimosia, e há desejos que estão em conflito uns com os outros e que estão em constante mutação. Daí, nossos caminhos serem confusos e nossos métodos em grande parte fracassarem, ou, quando muito, darem certo apenas à custa de enorme desperdício.

Ainda assim, um impulso perpétuo de renovação surge para nos dizer que isto não é tudo, que a frustração e a confusão, o conflito e o desapontamento não são o fim e que, embora possamos, repetidamente, nos tornar vítimas de um falso encanto, deve existir em algum lugar um verdadeiro tesouro à nossa espera no mundo das emoções.

2

A FONTE DA MOTIVAÇÃO

Quando estamos assoberbados de problemas e perturbados pela incompatibilidade entre desejo e realidade, procuramos agir como pessoas sensatas. Razão é a nossa capacidade de conhecer as coisas em sua relação umas com as outras. Portanto, a razão nos torna capazes de criar sistemas, atribuir valores e fazer comparações. Freqüentemente encontra-se relacionada com a memória, pois desta se originam muitos valores padronizados e grande número de comparações. Razão é também algo criativo, à medida que registra a possibilidade de novos relacionamentos entre objetos, em analogia com relacionamentos já conhecidos.

Contudo, a razão não provê a força que impulsiona nossas vidas. As maravilhosas e intrincadas operações da mente racional não constituem por si mesmas a fonte de motivação. São impulsionadas por algo mais que não a mente.

Isso dá lugar a situações de grande tensão e *pathos* na vida das pessoas, porque estas "tomam decisões" a fim de realizar algo e então constatam que não o realizaram, ou fizeram algo completamente diferente. A verdadeira força impulsora de suas vidas surgiu de algum lugar fora do alcance daquela "mente" que elas criaram.

A permanente pressão exercida, em nossas vidas, por uma poderosa força emotiva, não de todo acessível à razão, tem sido o estímulo e o desespero de filósofos e santos. David Hume tornou conhecida a idéia freqüentemente mal compreendida de que a razão é e tem que ser "a escrava das paixões". A palavra "paixões", aqui, não significa paixões de algum modo necessariamente nocivas. O que quer dizer de fato, é que a mente é colocada em funcionamento por algo mais.

A razão está relacionada com os meios e não pode abranger o objetivo motivador que vem de fora dela mesma. Não podemos, em linguagem razoável, descrever a força, ou o motivo, ou a "paixão" que nos impulsiona. Podemos reconhecer que os nossos problemas mais profundos estão ligados a isto e, portanto, sentir uma grande necessidade de entendê-lo. Mas, se a nossa idéia de entendimento está limitada a dar ou receber descrições e explicações do tipo das que passam de uma mente para outra, jamais chegaremos a um entendimento daquele aspecto não-racional da vida e que desempenha um papel tão importante e perturbador em nossas ações e experiências.

Há, contudo, um Caminho no qual a mente racional pode obter um conhecimento indireto do não-racional; pois o não-racional imprime, eternamente, seu padrão em tudo o que a mente racional analisa. O exame do padrão é o meio pelo qual, nos tempos modernos, a mente racional tenta entender a parte não-racional da natureza humana. É através do padrão, seja expresso na arte, em sonhos ou na ordem social, que o intelecto moderno vem procurando entender a natureza do amor, do desejo e da paixão, e todo o lado poético da vida. Esta é a base da nossa psicologia, de nossos estudos sociais e de nossa crítica de arte e de literatura.

Mitos e símbolos são exemplos da invasão do mundo não-racional sob a forma de padrões, no mundo racional. Tais padrões expõem à nossa razão certos aspectos relevantes, de imenso e inexplicável poder. Símbolos referentes ao pai e à mãe exercem uma influência criativa ou destrutiva nos indivíduos ou na sociedade, desproporcional a qualquer valor racional que lhes possa ser atribuído.

Mitos e símbolos têm, muito freqüentemente - ou talvez, sempre - duplo significado. De um lado, representam algo não-racional, no sentido de que se trata de uma questão de instinto e anseio. Expressam algo que parece pertencer ao nosso passado evolucionário, alguma coisa primitiva e compulsiva. Por outro lado, expressam algo que harmoniza e unifica, algo que confere estabilidade e liberdade.

O mesmo símbolo pode conter ambos os significados. Um mito ou símbolo usado para expressar os fortes impulsos de algum culto grosseiro e orgíaco pode também ser utilizado para expressar a mais sutil sugestão de um refinado e extremamente inteligente misticismo. Em sua maior parte, a história da religião é uma história de exaltação, de degradação ou de reabilitação de símbolos diversos, sendo cada um deles a concentração de uma força emotiva não-racional.

Analisando os padrões que, portanto, podemos encontrar na religião, no folclore, nos sonhos e na vida cotidiana - padrões impostos ao mundo da razão por aquelas forças emocionais da natureza humana que estão fora ou à parte da razão - vemos que tais forças apresentam-se, realmente, de duas formas.

Em primeiro lugar, algumas estão abaixo da razão. São não-racionais porque simplesmente não levam em conta a mente racional. Elas pertencem ao nosso passado. São desejos do tipo competitivo e voraz, corretos e apropriados numa vida selvagem onde a corrida é para os velozes e a batalha, para os fortes, uma vez que a velocidade, a força e certo senso de individualidade são qualidades a serem desenvolvidas nesse estágio. Mas na vida humana tais impulsos quase sempre adquirem uma complexidade de expressão não encontrada nas criaturas selvagens, pois, nos humanos esses impulsos adquirem controle sobre a mente, a qual, por sua vez, lhes confere uma intensidade peculiar e um sofisticado aprimoramento de técnica. Particularmente pela força da memória, uma mente escrava de tais impulsos sub-racionais planeja repetir e aprimorar experiências; desta forma, encontramos entre os humanos, atividades tais como comer e beber, que não estão apenas relacionadas com as reais necessidades nutricionais, bem como práticas sexuais que, em termos de freqüência e complexidade, não estão somente relacionadas com a simples necessidade de procriação, além de outras buscas que tornam nossas vidas muito mais complicadas que a dos animais e, por vezes, desagradáveis, o que não acontece com a deles.

Mesmo em níveis mais refinados de atividades, tais impulsos, unidos à mente, encontram expressão em todas as nuanças sutilmente agressivas da emoção. Escrava de impulsos sub-racionais, ainda que sutis, a mente não nos dá a razão pura. Ela nos oferece pretextos, pois neste caso está inclinada a criar boas razões ou desculpas para aquilo que o impulso emotivo não-racional procura alcançar.

Mas há também uma segunda forma de inspiração não-racional. Tal inspiração é não-racional porque se encontra além da mente. Abrange a mente racional com algo mais amplo que a mente e não é limitado por ela. Esta inspiração brota do aspecto universal e transcendente da vida e não da multiplicidade competitiva presente nos aspectos exteriores normais da vida. Ela tem toda a estimulante novidade e encanto que parecem oferecer os ímpetos passionais do instinto; mas ela não cria conflito. Não torna a mente cativa. Ela a libera e a ilumina. Esta mente, somente ela, é capaz de um pensamento puro. A lucidez vital, ainda que tranqüila, de uma mente assim iluminada, pode contemplar a face da realidade sem preocupações com a ansiedade competitiva ou a ganância.

Esta inspiração superior além da mente não está em competição sequer com o aspecto sub-racional e instintivo da natureza humana, eis que situa o instinto em seu verdadeiro lugar na harmonia do todo. Não destrói o desejo natural, mas remove qualquer necessidade de ambição compulsiva. Proporcionando às nossas motivações uma base na unidade da vida, ela torna desnecessário o exercício daquelas emoções que personificam, embora sutilmente, os objetivos agressivos e as avaliações prudentemente autodefensivas derivadas do caráter tão competitivo da vida. Esta inspiração superior não nos torna pessoalmente invulneráveis ou faz com que as precauções sejam desnecessárias; mas propicia a essas atitudes tão defensivas que somos capazes de assumir certo contexto na totalidade e harmonia da vida, removendo aquele medo agressivo e vingativo normalmente encontrado naqueles que vivem sozinhos e separadamente, em um mundo inexoravelmente competitivo e dividido.

Com relação a esse tipo de inspiração superior além da razão, muitas afirmações belas e poéticas têm sido feitas na literatura das religiões mundiais. Poucas podem ser mais apropriadas para transmissão do que esta do Apócrifo *O Livro da Sabedoria de Salomão*[1]:

> *"A Sabedoria, obreira de todas as coisas, ensinou-me; pois nela há um espírito compreensivo, sagrado, único, múltiplo, sutil, vivo, claro, imaculado, verdadeiro, não sujeito a dor, amando o que é bom, ágil, que não pode ser rotulado, pronto para fazer o bem, gentil para com os homens, firme, seguro, livre de preocupações, possuindo todo o poder, vendo todas as coisas, e tudo compreendendo, puro, e o mais sutil dos espíritos. Pois a Sabedoria move-se mais que qualquer movimento; ela passou e superou tudo em razão de sua pureza. Pois ela é o alento do poder de Deus, é uma pura influência que flui da glória do Todo-Poderoso; assim, nada pode corrompê-la. Pois ela é o brilho da luz eterna, o espelho imaculado do poder de Deus, e a imagem de Sua bondade. E, sendo única, a ela tudo é permitido fazer; e, permanecendo em si mesma, ela renovou todas as coisas; e em todas as eras, penetrando nas almas sagradas, ela as fez amigas de Deus e dos profetas. Pois Deus não amou senão aquele que viveu com Sabedoria. Porque ela é mais bela que o Sol e está acima de todas as constelações; quando comparada à luz, é encontrada antes dela. Pois após esta veio a noite;*

---

1 Bíblia Sagrada. *Livro da Sabedoria 7:21-8:1.* (N.E.)

mas o vício não prevalecerá sobre a Sabedoria. A Sabedoria alcança o mundo de extremo a extremo; poderosa e suavemente, ela ordena todas as coisas."

Esta, portanto, é a nossa dificuldade, ou seja, a de que em nosso pequeno mundo da mente, no qual o moderno homem civilizado tão dolorosamente se esforça para viver, estamos cercados pelas forças de um grande mundo exterior não-racional e que nos chegam de duas direções. Do nosso passado vêm as forças do instinto, os ávidos e agressivos desejos que dão condições à vida selvagem de lutar por sua existência. Do nosso futuro vem a força intuitiva de uma Sabedoria superior, de além da mente.

A mente é o palco central no qual, hoje, nosso conflito se manifesta; é o ponto principal, ou fulcro, sobre o qual atuam essas forças não-racionais; ou é a lente através da qual o não-racional é focalizado no ponto que denominamos individualidade. É difícil imaginar tais forças agindo sem a mente. De fato, isto se torna impossível, uma vez que a própria imaginação é uma função da mente. E é desnecessário, pois escolhemos um caminho que envolve o uso da mente. Segundo Madame Blavatsky, é preferível o livre-arbítrio à escravidão passiva, ao sofrimento intelectual autoconsciente... à tolice, à imbecilidade, à beatitude instintiva. Mesmo assim, o papel da mente é, de certa forma, passivo; pois ela depende do não-racional para sua motivação. A força motriz não surge na mente propriamente dita, embora esta possa enfocá-la, aprimorá-la e torná-la eficaz. Por conseguinte, não pode, por si só, resolver os problemas do coração. E é do coração, do não-racional, da parte da natureza humana excluída das operações mentais, que surgem nossos problemas de desejo, amor, paixão e inquietante saudade; pois é fora da mente que a motivação humana ocorre.

Em um tempo em que o intelecto humano vem sendo vigorosamente exercitado e submetido a uma intensa agudeza, é natural que muitos procurem solucionar o problema emocional fazendo a mente agir como um cão de guarda do coração. Mas isto estabelece um eterno conflito entre mente e coração; e, uma vez que, em última instância, é o "coração" que faz a mente funcionar, o esforço está fadado ao fracasso desde o início.

Esses dois tipos de força emotiva que jogam com a mente têm sido descritos como provenientes do passado e do futuro. A força emocional instintiva é a que domina a vida das criaturas selvagens e as fases iniciais do desenvolvimento humano, tanto na infância quanto nas sociedades primitivas. Ela confere certa unidade e harmonia àqueles por ela completamente dominados e cujas vidas são simplesmente sua personificação. Com freqüência, é possível que eles cheguem a ter excelente condição física. Assim, como o processo de elaboração da mente se inicia a partir da força motivadora do instinto, alterando as proporções de sua manifestação, intensificando-a com a memória e a vontade da repetição da experiência, grandes conflitos se estabelecem no que agora se tornou uma personalidade, dividida e quase sempre trágica.

Somente quando o conflito tiver persistido por longo tempo e eliminado muito da personalidade, analisando, reagrupando e recanalizando as poderosas forças do não-racional, é que o leve fulgor de uma nova esperança pode surgir.

Esta nova esperança é vista na descoberta de que há um novo tipo de estímulo não-racional no qual o futuro está contido e que chama por nós. Este novo tipo de estímulo não cria conflito; ele é benéfico e harmonizador.

Hoje a humanidade está apenas dando início à transição de um tipo de motivação para outro. É uma substancial e longa transição, que se estenderá por muitas épocas, criando muitas culturas. Excelentes Instrutores têm ajudado no que podem, havendo, portanto, muitas indicações e sugestões nas religiões, filosofias e poesia do mundo. O grande problema, porém, não pode ser solucionado por nós em nome de outras pessoas. A grande transição tem de ser realizada por cada um, assim como por todos. Exortação e explanação não são suficientes, pois as grandes verdades estão vivas em um reino situado fora do alcance e dos limites do racional ou do pensamento sistemático. Elas não podem ser apreendidas e transmitidas dentro de um cárcere de explanação racional. Muito freqüentemente, é na dignidade de um ato, na resposta perfeita a uma situação, na fragrância rara da presença de um grande Instrutor, que a verdade é silenciosamente transmitida e reconhecida.

Ainda assim, o caminho para nos livrarmos de problemas começa em nossos próprios pés. E, se pudermos captar até mesmo um tênue sinal do rumo definitivo, podemos começar agora, neste nosso mundo de conflitos, mentalmente limitado, a fazer alguma dessas reavaliações, simplificações e alguns ajustes que nos prepararão para um futuro mais sábio e mais feliz.

3

DESEJO E VIDA INTERNA

É possível examinar o desejo em si e refletir sobre se todos os desejos não teriam algo em comum, não importando se o seu objeto é superior ou inferior, espiritual ou material.

O desejo divide tudo no Universo, em duas grandes classes, a desejável e a indesejável. Cada um de nós olha para seu próprio mundo e percebe que ele é feito apenas destas duas classes. Há, com certeza, coisas em relação às quais talvez nos sintamos indiferentes, mas, mesmo os objetos neutros podem, a qualquer tempo, tornar-se tanto desejáveis como indesejáveis. Eles formam uma espécie de reservatório de onde as coisas desejáveis e as indesejáveis podem emergir a qualquer momento.

As coisas não são desejáveis ou indesejáveis para todos nós de modo semelhante. O que é desejável para uma pessoa pode ser indesejável para outra. E "coisas" desejáveis podem significar tanto pessoas e experiências como objetos.

Se somos pessoas bastante primitivas, nossos próprios desejos são tudo o que nos interessa de fato e realmente tudo o que reconhecemos. Mas, se somos um pouco mais evoluídos e inteligentes, podemos perceber que outras pessoas têm desejos diferentes dos nossos. Podemos também, até certo ponto, ver por que elas têm estes desejos. Podemos comparar os nossos com os delas e atentar para a importância do desejo.

Quando, então, tentamos observar os desejos, podemos descobrir um atributo que todos eles têm em comum. Todos são a expressão de um impulso que visa a uma maior intensidade de experiência. Desejamos algo porque sentimos que isto nos capacitará, de algum modo, a nos sentirmos mais intensamente vivos.

Por exemplo, quando estamos descansando e desejamos ação, trata-se, em essência, de um impulso no sentido de descobrir mais intensamente que estamos vivos. E, quando estamos ativos e desejamos descansar, é porque a ação nos enfadou e queremos usufruir de algo que no momento se nos apresenta como uma experiência mais vívida, a experiência de interromper a ação. Nosso desejo por pessoas, com toda a sua curiosa carga de humor, temperamentos, paixões, e sua capacidade de nos estimular, bem como o nosso desejo por alimento, por poder, por responsabilidade e por nos livrarmos das responsabilidades - todos estes são desejos que buscam de uma forma ou outra, um viver mais intenso.

Este fato, ou seja, o de que estamos vivos e queremos nos sentir ainda mais vivos, tem sido a grande força motriz de nossa evolução. É através da experiência do desejo que o homem primitivo aprende a conhecer o mundo em que vive. Gradualmente, ele aprende que a satisfação de alguns desejos torna válido descartar algum outro desejo ou desejos menores. De igual modo, a memória também o conduz a empenhar-se, a planejar e a exercitar suas faculdades para repetir experiências. Então, ele se torna capaz de utilizar a mente para canalizar e aprimorar o desejo.

De forma gradual, ao longo de muitas vidas, à medida que o potencial de reação do indivíduo aumenta e se modifica, o homem começa a buscar objetos de desejo com os quais jamais o homem primitivo teria sonhado. Ele começa por entrar na área daqueles desejos que classificamos como altruístas e idealistas, desejando e encontrando satisfação em coisas que são úteis e agradáveis não só para ele, mas para sua família ou para toda a sua comunidade.

Através do desejo, através de seu anseio por uma experiência de vida mais vigorosa e intensa, ele se torna uma criatura realmente social. A busca da intensidade, embora a princípio possa parecer algo egoísta, leva-o ao reconhecimento de um Eu pelo menos muito mais amplo que sua própria limitada personalidade. Mas, finalmente, em determinado instante, aquele indivíduo pensante e verdadeiramente refinado começa a ter uma grande dúvida sobre o desejo de qualquer espécie. Ele começa a sentir que o desejo não é suficiente, que há algo vazio e triste em relação a este infindável esforço de possuir e realizar. Mesmo admitindo que as grandes coisas são resultado do desejo, elas não parecem mais tão satisfatórias, valendo tanto a pena.

Quando esta dúvida começa a assaltar um indivíduo, ele freqüentemente começa a simplificar sua vida, reconhecendo que não alcançará a verdadeira felicidade com uma multiplicidade de posses. O querer e as reais necessidades são por ele cada vez mais discriminados, com rigor e austeridade. Ele procura simplificar não apenas sua existência material, como também sua vida emocional e sua vida intelectual. É um tempo de grande busca da alma, de profundo questionamento sobre o Eu interior, de grande ansiedade para encontrar o que realmente vale a pena na vida.

Algumas vezes, esse estado de desilusão geral aflige uma pessoa apenas por breve espaço de tempo, e assim, ela novamente se põe a buscar a satisfação de algum desejo, sentindo ter vislumbrado mais uma vez a fonte de uma nova e satisfatória intensidade de viver. Mas a desilusão com o desejo como um todo tende a repetir-se e a tornar-se o tema dominante nas vidas de tais pessoas. Elas pensam: "Para que serve isto?" "O resultado não justifica tantos esforços". "Será que a jornada é realmente necessária?"

A partir daí, entretanto, o indivíduo fatigado já terá tido, por certo, uma ligeira idéia de um novo tipo de experiência. Terá, então, descoberto, aqui e ali, uma intensidade de vida que não lhe chegou por intermédio de uma busca ou satisfação de algum desejo, mas chega-lhe de um modo que ele não pode explicar, uma paz maravilhosa, uma felicidade, uma segurança, uma sensação de tranqüilidade. É muito impreciso. Tendo-o experimentado uma vez, ele tenta recriar as condições sob as quais isso lhe ocorreu, e percebe que o recriar causas e condições aparentes não lhe trará de volta aquela experiência momentânea de felicidade.

No momento em que viveu tal experiência, o indivíduo sentiu-se oprimido por um sentimento de futilidade da vida, o vazio de todos os objetos do desejo. É possível que alguns destes ainda pareçam muito valiosos, particularmente aqueles que envolvem proporcionar felicidade a outras pessoas. Mas mesmo nestes o indivíduo desiludido não encontra toda a satisfação que desejaria, ou a intensidade de vida que ele procura. É provável que ele cumpra suas obrigações para com os outros de maneira bastante meticulosa, mas, na verdade, não o aprecia muito.

Uma grande mudança surge, contudo, com esse pequeno toque de um novo tipo de experiência. Ainda que se trate tão-somente de um rápido e momentâneo vislumbre deste novo tipo de intensidade, realmente oferece algo positivo àquele que chegou a ver a vida principalmente em termos bastante negativos.

Em qualquer estágio do progresso de alguém há, certamente, momentos em que o futuro chega com esperança e alívio. Mas esta nova e positiva descoberta é mais que isso, pois contém a maioria das qualidades que se atribui a uma experiência mística. Somente quando o desejo houver realizado em nós a maior parte do seu trabalho é que tal experiência pode nos acontecer. Quando o desejo nos compele a buscar, através de muitas vidas, vários tipos de experiências, e, destas, aprender a organizar nossas inteligências e passar, de uma multiplicidade de desejos egoístas e medíocres, para um menor número de desejos, mais puros e mais altruístas, então o propósito do desejo, em sua forma mais aguda, move-se em direção à perfeição. É chegado o tempo de uma nova motivação tomar seu lugar.

Esta nova motivação tem toda a riqueza e intensidade de vida que sempre estiveram disponíveis, através do desejo pessoal, ainda que não se trate exatamente de um desejo pessoal. O processo de mudança, no caso, é, em geral, aflitivo, um longo e quase sempre doloroso andar às cegas, auxiliado e, ainda assim, por vezes tornado mais desconcertante por súbitos raios de luz.

Muitas vezes há períodos de total desespero e um sentimento de que nenhuma nova luz poderá surgir.

Penetrar esta escuridão é dar o primeiro passo em direção ao "oculto", o lado secreto das coisas. O comentarista de *Luz no Caminho* diz:

> *"que uma tristeza intolerável é exatamente a primeira experiência do neófito em Ocultismo. Um sentimento de vazio cai sobre ele, o que torna o mundo algo sem valor e a vida, um esforço em vão ...Ele experienciou, embora brevemente, a vida maior; e prossegue sua existência comum, carregada de um senso de irrealidade, de vazio, de terrível negação."*

Ele está em uma condição "em que o medo e a esperança, o desespero e o contentamento, parecem, por um momento, realidades absolutas e, em seguida, meras formas de fantasia."

A causa dos desconfortos peculiares a esta transição pode ser facilmente entendida, mesmo que eles não possam ser superados de imediato.

Essa nova vida interior que o indivíduo espasmodicamente começa a experimentar é, de certa forma, assemelhada ao desejo, pois tem calor e vitalidade e provém, como costumamos dizer, do coração. Não é fria compulsão de um princípio abstrato. É calorosa, compassiva e humana, conduzindo a um entendimento mais profundo das outras pessoas. Mas ela pertence ao centro da vida, à unicidade da vida, ao passo que o desejo pertence à superfície da vida e à multiplicidade das coisas.

Uma das nossas maiores dificuldades para nos aproximarmos da verdadeira idéia da vida interior é que estivemos habituados, durante séculos, a pensar em todas as coisas em termos de desejo e tudo classificar como desejável e indesejável. Imediatamente rotulamos qualquer coisa nova em função de nossos hábitos de desejo do passado - nossos antigos hábitos de sermos atraídos ou repelidos. E, se ouvimos falar de algo denominado "vida interior", considerada a verdadeira solução para nossos problemas e conflitos, então, de imediato pensamos que esta tem que ser alguma coisa muito desejável, algo que seria bom possuir.

Mas a vida interna não pode ser objeto de desejo. Este só pode existir no lado externo da vida, no mundo da multiplicidade, da discriminação e da competição. Um objeto de desejo é algo que de certa forma sentimos estar separado de nós e que podemos alcançar e prender. Mas a vida interna não está separada de nós, e não podemos alcançá-la e prendê-la.

Este é o grande *pathos* de nossos primeiros e desajeitados esforços para penetrar na experiência da vida interior. Nós pedimos pela vida interior, procuramo-la para que venha até nós de fora de nós mesmos. Mas a vida interior não pode ser uma posse pessoal. Ela pertence ao todo e só pode ser compartilhada pelo indivíduo quando ele aceita verdadeiramente seu lugar como parte do todo, como um meio de atingir aquele fim que é o todo.

Vislumbres da vida interior chegam-nos quando estamos como que nos erguendo de nossos eus pessoais; mas, na medida em que tivermos tido tal vislumbre, não poderemos tê-lo de volta novamente, caso o tenhamos perdido uma vez, eis que ele não é pessoalmente nosso, do ponto de vista de qualquer senso de posse. Não pode haver uma recriação das mesmas circunstâncias externas para trazer de volta a experiência. As práticas e hábitos que dão resultado no mundo dos desejos não se aplicam à vida interna.

A vida interna não tem, na verdade, que ser atingida, pois ela está sempre lá. Enquanto estamos imersos no mundo dos desejos pessoais, por mais puros e mentalmente elevados que eles possam ser, não podemos estar conscientes da vida interna. Somente a encontramos quando o mundo dos desejos pessoais se desfaz em nós. É, então, que vem a quietude, e dela nos tornamos conscientes. De fato, o mundo do desejo e o da vida interna não são opostos ou realmente antitéticos um em relação ao outro, pois há um mundo, visto de formas diferentes, conforme a natureza daquilo que dentro de nós reage a ele.

4

MENTE E CORAÇÃO

A arriscada e difícil travessia do desejo para a vida interior é tema de inumeráveis dramas e histórias de mistério e é minuciosamente descrita na literatura de todas as grandes religiões. Assim como existe a grande travessia, existem, é claro, muitas outras menores; e nem toda narrativa de experiências de "conversão" se relaciona com a total renúncia e realização, que dizem respeito a uma completa transformação no sentido da motivação pela vida interna. Há um potencial de realização para cada ciclo da vida, assim como para o grande ciclo de muitas vidas. E o indivíduo que, ao longo de sua vida, tanto personifica a experiência de renúncia ao desejo e de reconhecimento da vida interior quanto uma adequada postura para aquela vida, terá vivido bem e conquistado muita paz.

Conseguir grandes avanços, no período de uma existência, numa completa transição do desejo para a vida interna, e fazê-lo por inteiro, é um imenso empreendimento, que bem poucos conseguem levar avante. Mas os princípios implícitos na grande transição aplicam-se a qualquer outra menor, e é através da realização das transições menores que a maior se torna possível. Por maior que seja a tarefa, o primeiro passo em direção à sua realização é dado a partir de onde estamos agora.

Para muitos, o empecilho, a inibição que nos mantém paralisados, parece ser o conflito entre mente e coração. Muitas pessoas estão conscientes destes dois elementos em suas vidas - um que calcula e um que motiva. Por si só, a mente não provê a força que resulta em ação. A razão pode analisar, elaborar e nos fornecer a base efetiva para modificar nossa forma de agir, mas, fundamentalmente, nossas ações podem todas voltar-se para o coração, para a parte emotiva de nossa natureza, para a força que as impulsiona.

Já vimos que as forças emotivas são de dois tipos. Há o desejo comum, que tem pressa em alcançar este ou aquele objeto de atração em um mundo caracterizado pela multiplicidade, e há um outro estímulo relacionado com a unicidade. Apenas ocasionalmente encontramos em nossas vidas essa outra motivação, que, de certo modo, é mais que mera razão calculista, pois capaz de superar a razão sem com ela entrar em conflito e de impô-la ao mundo da razão, com uma nobre e sutil abrangência que gera harmonia naquele mundo e não a discórdia.

Infelizmente, porém, o impulso motivador em nossas vidas quase sempre deixa de apresentar a qualidade daquela força impulsora mais elevada e harmoniosa, compartilhando mais da característica pessoal comum do desejo em um mundo de multiplicidades, precipitando-se ora atrás de uma coisa, ora atrás de outra. Daí, muitas vezes, verifica-se considerável conflito entre os elementos motivadores e os elementos calculistas em nossas vidas, um conflito entre coração e mente. Uma vez que este conflito entre coração e mente nos causa desconforto, tentamos solucioná-lo. Ansiosamente, assumimos qualquer tipo de atividade que possa significar cura para o nosso desconforto. Ao perseguir estas várias soluções para o conflito entre coração e mente, muitas vezes percebemos que estamos apenas nos conscientizando profundamente do conflito e de nossa fragilidade em relação a ele, pois nossas tentativas de resolvê-lo estão quase sempre baseadas no próprio conflito e, ao invés de solucioná-lo, elas simplesmente lhe conferem novas formas.

Por exemplo, a meditação é quase sempre proposta como um caminho para a solução desta guerra entre mente e coração; assim, estudamos os métodos de meditação e obtemos um claro quadro mental do que devemos fazer. O resultado, porém, é que não meditamos, de fato, porque - francamente - não queremos meditar. A mente pode apresentar-nos argumentos sólidos e razões admiráveis sobre o tema da meditação, mas o coração não está ligado a eles, e assim nada é feito. Se isso acontece, a meditação comprova-se, portanto, não uma solução, mas apenas um campo adicional no qual nos tornamos humilhantemente familiarizados com o nosso conflito, a nossa fragilidade e o nosso fracasso.

Por vivermos em uma época em que a razão, muito apropriadamente, é bastante respeitada, a maioria de nossas tentativas de solução do conflito entre mente e coração passa a ser uma forma de fazer com que a mente aja como um cão de guarda do coração. Por isso, tantas boas decisões são desprezadas e tantos bons princípios são menosprezados nas vidas de pessoas em que, apesar de tudo, existe um grande desejo por algo melhor. Fazer com que a mente aja como fiscal do coração implica a continuação indefinida daquela grande divisão de mente e coração, da qual provém nosso conflito.

Reconhecer esse processo em nós mesmos não significa necessariamente eliminá-lo. Freqüentemente, a reação à sua descoberta serve apenas para destinar uma parte específica da mente a atuar como um cão de guarda em relação a outro cão de guarda.

Segundo um ensinamento antiqüíssimo, além da mente e do coração há algo maior, uma intuição, algo especial, embora ternamente íntimo, vislumbre interior no qual mente e coração se harmonizam e se tornam unos. Mas isso é algo que, como vimos, não pode ser alcançado através de métodos de busca próprios dos mundos do desejo ou da razão. O que está além da razão não pode por ela ser contido; e o que está além do desejo, não pode ser um objeto do desejo.

Imersos, como estamos, nos conflitos da mente e do coração, será que não há como sair de onde estamos, na direção de uma nova e mais feliz perspectiva, produto daquela intuição muito mais harmonizante, daquele novo tipo de motivação que o desiludido, porém ansioso, indivíduo começa a conhecer? Simplesmente a informação de que isto é impossível de ser atingido tanto para a mente quanto para o coração, de nada adianta. Se há um Caminho a seguir e a galgar no sentido dessa verdadeira e harmoniosa perspectiva, para nós mesmos e para nosso mundo, o primeiro passo, por certo, deve ser dado de onde estamos agora. Alguns dirão, sem dúvida, que não se chega vencendo etapas de modo algum, e que chegar é descobrir que estávamos lá o tempo todo. Contudo, não somos prisioneiros de um dilema que jamais poderá ser resolvido.

É verdade que nossa libertação em relação ao conflito pode surgir sob a forma de lampejos momentâneos, "vindos do alto", no inesperado movimento das nuvens. Mas estas coisas não acontecem arbitrariamente, como o final feliz de alguma história em que uma divindade aparece na última página para consertar tudo. Elas vêm depois de um caminho haver sido preparado para elas, através de uma paciente remoção de obstáculos. Apesar de não pertencerem àquele mundo dos opostos, onde há débitos e créditos, em termos de mérito, e no qual a vida assemelha-se a uma conta bancária, elas são, todavia, de certa forma merecidas.

A mente pode registrar, mesmo que o coração nem sempre consiga perceber que uma notável diferença entre desejo e vida interna reside no fato de que o desejo diz respeito à característica de "separatividade" das coisas, enquanto a vida interna se relaciona com as coisas em seu conjunto e na sua totalidade. O desejo sai na busca disto ou daquilo, daí envolver-se em competição e conflito, por mais refinados que eles sejam. A vida interna, porém, transmite seus impulsos iluminando aquilo que é e propiciando-lhe um justo e harmonioso cenário no todo universal das coisas.

Quando é preciso resolver um problema da mente e do coração, ele deve ser conduzido para fora dos limites do estritamente pessoal e dos valores individualistas, para um cenário universal. Isto não pode ser apenas um frio processo mental. Requer imaginação, uma operação da mente, em que o coração participa cada vez mais.

O que provavelmente desperta nossa solidariedade, em primeiro lugar, é o nosso compromisso pessoal. Mas este impulso inicial de solidariedade tem que abarcar todo o vasto mundo e, em última instância, ir ao encontro do universal, não podendo, em hipótese alguma, ficar parado na perigosa situação de autopiedade. Pois esta tem sido usada para justificar, por assim dizer, cada crime cometido.

Digamos que eu me encontre em um estado de conflito. Estou só, ou zangado, ou confuso. Ao invés de lutar contra este conflito, permitam-me sair dele para a contemplação imaginativa de todas as outras pessoas que estão sozinhas, ou zangadas, ou confusas. Permitam-me olhar, rapidamente, os muitos exemplos de sua solidão, de sua raiva ou de sua confusão, até que eu sinta, em relação às condições deles, não algo pessoalmente restrito a eles, mas a expressão de uma característica peculiar em um imenso processo universal.

Tateando nesta direção, pode-se, com a imaginação, penetrar em um estado de espírito e de coração, superior, de certo modo, àquela situação em que o problema parecia tão grave. Ativa-se uma nova condição de solidário e despreocupado bom humor, e agora sabemos bem melhor o que fazer com nosso conflito pessoal. Geralmente, nada há a fazer. O foco alterado de pensamento e sentimento trazido à tona é tudo que é necessário; pois, partindo-se de uma visão pessoal e excludente para uma visão includente e universal, a vitalidade e o significado foram retirados da condição pessoal em que o conflito se encontrava enraizado.

Este método de considerar o conflito não é o único ou o melhor para todas as pessoas. Outros utilizarão abordagens bastante diferentes, mas igualmente válidas. O importante é traçar um caminho fora de nossa própria insignificante individualidade. Quase sempre o *pathos* daqueles que se encontram psicologicamente enfermos reside no fato de não podermos alcançá-los, não importa o quanto queiramos ajudá-los. Cada um construiu, para si mesmo, uma pequena caixa fechada, dentro da qual ele persegue a si próprio, seus lamentos ou sua melancolia. De nada adianta alguém tentar invadir a caixa. Isso apenas o fará construir uma caixa menor e mais forte. É preciso que ele abra a caixa de dentro para fora e saia por sua própria iniciativa. Todos os nossos conflitos e infelicidades apresentam algo parecido e constituem caixas nas quais aprisionamos a nós mesmos. Nossa saída deles começa sempre com um impulso de solidariedade, que pode conduzir-nos a um conhecimento maior daquele processo universal, o único a atribuir-nos algum significado como indivíduos.

Para que a imagem de alguém encerrando-se dentro de uma caixa não seja tão gráfica a ponto de limitar muito o entendimento, é preciso dizer que atualmente muitas pessoas constroem "caixas" sob o pretexto de manterem uma "mente aberta". É como se, ao invés de encerrarem-se em um castelo, elas agissem de modo evasivo, criando algum leve tipo de defesa, amedrontadas e recusando-se a permitir que os seus sentimentos se envolvam em questões reais. Dada sua agilidade mental, eles estão preservando suas naturezas emocionais em caixas.

Outro método de evasão é o sentimentalismo. Um certo tributo é pago à compaixão relativamente à retórica ou ao sentimento. Um calculismo cuidadoso e prudente, porém, faz com que nenhuma responsabilidade mais séria seja assumida, havendo somente um controlado e limitado envolvimento com as realidades do mundo existente fora da pequena esfera do eu pessoal e seus interesses. Onde há sentimentalismo há sempre um veio de calculismo egoísta.

Mas esses esquemas desmoronam, uma vez que se baseiam em uma segregação do eu que cessa de ser necessária ou adequada. Tal segregação era necessária para todos nós e ainda o é para a criança ou para o primitivo nos quais o sentido de eu é instável e vago. Da mesma forma, quase sempre ela é necessária para algo novo que esteja se desenvolvendo em nós, uma nova idéia ou uma nova sutileza relacionada com uma autodescoberta de caráter emocional. Tais coisas precisam de proteção pelo menos no seu início. Mas o definitivo ponto do Eu em nós não está separado do todo da realidade. Ademais nossos conflitos se instalam não entre o eu e a realidade, mas entre a realidade e uma esfera protetora da segregada personalidade construída ao redor daquele eu.

Isto não significa dizer que o lado pessoal da vida, no qual nasce todo conflito de mente e coração, é para ser condenado ou negligenciado de qualquer forma. Mas seu valor e seu encanto residem no fato de que ele pode sempre constituir o ponto de partida para um progresso na direção de algo mais nobre, mais amplo e mais estável.

No passado, a alegria, a intensidade e o encanto lírico da vida pessoal pareciam residir na acumulação de objetos e experiências, com vistas à construção de um eu rico e segregado. Esta capacidade de alcançar a felicidade e de realização ainda continua presente na vida pessoal, mas chegou a hora de realizar esta busca mudando-se de direção.

5

AS REGRAS DA SENDA E A LEI DA SELVA

O conflito mente e coração está projetado vividamente em nossos sistemas éticos. Para entender estes conflitos éticos vale a pena considerar suas origens em nosso passado evolucionário.

Tem sido uma tradição condenar certos tipos de ação, dizendo-se que elas estão de acordo com a lei da selva. Dizemos que são a manifestação do primitivo em nós, do animal, da selva. Também condenamos certas coisas ao dizer que elas não estão de acordo com as regras da Senda. Ou, podemos dizer que elas não estão de acordo com algum outro código. Na Inglaterra, por exemplo, é comum condenar atitudes e atos sob a metafórica afirmação de serem contrários às regras de um jogo denominado críquete, próprio naquele país. A pessoa boa é aquela que segue as convenções. O outro tipo de pessoa, chamado, às vezes, na Inglaterra de "velhaco", é aquela que rompe com as regras do jogo da vida, substituindo-as meramente pela lei da selva. É igualmente significativo o fato de amiúde falarmos em voltar para a selva, ou utilizarmos outros termos que sugerem que a selva se encontra atrás de nós, no nosso passado, algo do qual nós emergimos.

Em nossas vidas, constantemente tentamos nos submeter às regras e, mesmo assim, com muita freqüência, encontramos algo que se insurge em nós e que resiste ou destrói este conformismo. Há uma tendência geral de considerar necessariamente bom seguir as regras e encarar aquilo que atenta contra isto como algo necessariamente mau.

Em seu livro *Aos Pés do Mestre,* diz Krishnamurti:

> *"Entre o bem e o mal o Ocultismo não admite acordo. Custe o que custar, deves fazer o bem e nunca o mal, não importa o que pense ou diga o ignorante."*

E muitos dos que lêem tal passagem com um sentimento de aprovação são levados a pensar que "o certo" consiste em obedecer às normas, seguir as regras da Senda. Do mesmo modo, "aquilo que está errado" muitas vezes lhes sugerirá algum jeito de violar a lei da selva.

Contudo, há épocas em que as pessoas têm dúvida sobre se devem manter-se fiéis às regras da Senda. Elas questionam se, ao fazê-lo, não estarão de algum modo perdendo contato com o encanto, a espontaneidade e o calor da vida.

Muito se encontra revelado no significado que Caminho e selva adquiriram como símbolos nos eventuais pensamentos diários das pessoas. Por vezes, a Senda é denominada Caminho. De qualquer forma, isto conduz a algum lugar, e há marcos quilométricos ao longo desse Caminho, de tal forma que alguém pode dizer: "Veja, estou a tantos quilômetros, neste caminho, adiante de fulano!" Mas a selva, contudo, não parece levar a lugar algum. Se acontecer de estarmos nela, só pode ser aqui e agora, e ela se encontra em toda a nossa volta. Não há marcos quilométricos nela, e ninguém pode estar muito adiante de qualquer outra pessoa, a menos que comece a subir nas árvores, o que não o levará muito longe. É possível, claro, cortar caminho através da selva, mas isto é colocar as regras da Senda em contradição com a lei da selva.

O caminho é quase sempre reto e estreito; mas a selva é emaranhada e ampla. O caminho, com seu traçado retilíneo e aberto, é, com certeza, um cavalheiro; mas a selva não é uma dama - é somente uma mulher! O caminho, como muitos homens, parece um tanto pedante e até mesmo monótono. A selva, como algumas mulheres, é plena de surpresas - algumas agradáveis, outras desagradáveis. Assim se apresenta, pelo menos, a selva no sentido metafórico e figurativo, não obstante algumas selvas reais sejam consideradas muito enfadonhas.

Agora, é nesta descrição do caminho e da selva que será encontrado o grande conflito da vida. Espera-se que optemos entre o caminho e a selva? É a vida uma permanente sucessão de escolhas entre o que é correto e virtuoso, de um lado, e o que é vital e espontâneo, ainda que vicioso de outro? Obviamente as regras da Senda têm grandes vantagens. De vários modos, podemos ver que tais regras estão corretas. Nós constatamos que negligenciá-las pode gerar caos, decadência social e miséria. Mas será que estamos certos ao supor que ela deve ser sempre considerada em oposição à lei da selva?

Este problema tem que ser analisado em seu contexto, na natureza e no processo de evolução. De muitas formas, estamos conscientes de um processo que denominamos evolução. Vemos a evolução como se se tratasse de fragmentos truncados. Se somos estudantes de biologia, observamos a evolução de várias espécies. Também refletimos sobre exemplos de evolução social e cultural. Mas, observando as formas externas de vida, não se vêem esses exemplos particulares e pequenos ciclos de evolução associados em um grande processo. Há elos perdidos, extinção de espécies, falsos começos e rupturas precoces.

Para esta fragmentada, superficial e freqüentemente incoerente visão da evolução - a evolução das formas - a Teosofia oferece uma concepção mais ampla, no sentido de que existe uma simultânea evolução de vida ocorrendo nas formas. Ainda que ambas jamais estejam separadas, há uma dualidade de vida e forma, espírito e matéria. A vida assume formas, atua nelas, para dominá-las e moldá-las conforme as necessidades de sua expressão. Quando formas particulares cessam de servir a tal propósito de modo adequado, a vida se retira e elas morrem. Mas não há perda. A expressiva capacidade obtida através dessas formas continua viva e posteriormente encontrará um lugar em outras formas. A verdadeira continuidade da evolução não existe no aspecto da forma da Natureza, mas no da vida.

A evolução, assumindo seu lugar neste cenário, é como um grande arco ou curva. Primeiramente, o espírito penetra na matéria e se envolve em todas estas formas materiais que conhecemos, não apenas aquelas consideradas orgânicas - pessoas, animais ou plantas - mas em toda a substância molecular da matéria propriamente dita - minerais, elementos químicos, rochas, estrelas e cristais. Neste amplo processo do espírito penetrando a matéria, o qual podemos denominar involução, o espírito tem que ser materializado. A vida é ligada e aprisionada na matéria, aprendendo apenas, vagarosamente, a adaptá-la a seus próprios fins e expressões.

Enquanto a matéria, ou a forma, é a parceira dominante na dualidade, a Natureza adapta-se às leis do instinto, à lei da selva, lei que é inerente às formas em que a vida habita, pois não deixa de ser uma lei, por mais anárquicas que possam parecer suas recentes incursões em nossa vida humana. A totalidade das espécies na natureza selvagem age da mesma forma, cada indivíduo reagindo de maneira idêntica a situações similares. Em grande parte, isto ainda se aplica à humanidade, mas uma nova capacidade vem também se manifestando fortemente, qual seja a que se relaciona com uma escolha individual deliberada. À medida que tal habilidade emerge no ser humano, constata-se um lento desequilíbrio da balança em favor da vida ou do espírito. O indivíduo que se tenha tornado apto a fazer sua própria escolha, terá alcançado o ponto de equilíbrio. Até então, a vida que nele habitava devia adaptar-se às leis das formas materiais; agora, porém, ela começará a assumir a forma material, como seu instrumento, e dominá-la. Até aqui, temos visto a materialização do espírito; agora estamos no começo da espiritualização da matéria. Voltamos de novo ao lar.

Seguindo a curva, vemos que ela primeiro penetrou na matéria. O espírito ou vida ganhou experiência e desenvolveu capacidades latentes ao identificar-se com formas materiais reguladas pela lei. Ele habitou em formas elementares da natureza selvagem - nas substâncias sólidas, nos cristais e nas formas de plantas e árvores - testando a força, o impulso, a simetria e a reação a impactos externos, para então, sob formas animais, desenvolver a mobilidade e os órgãos dos sentidos. A seguir, na humanidade, ele desenvolve a consciência de si mesmo, a individualidade e o livre-arbítrio, não aquele arbítrio das criaturas selvagens, baseado nas leis da forma material, a lei da selva, a lei da resposta a estímulos, mas a escolha deliberada de uma entidade livre e consciente, capaz de observar, avaliar e escolher por si mesma, não inteiramente limitada, em sua escolha, pelo organismo ou forma no qual está vivendo.

A lei da selva é aquela inerente aos limites e estruturas das formas materiais e dos organismos, lei referente àquela porção de formas em que a vida ou espírito entra para habitar. As regras da Senda dizem respeito à humanidade, àqueles que começaram sua escolha. Constituem um código de sugestões e advertências sobre como o nosso ato de escolher pode ser exercitado.

O homem é, pois, cercado por forças contraditórias. Há a grande força do instinto - a lei da selva - e há a força de seu próprio anseio de despertar, a fim de exercer seu livre-arbítrio e resistir aos irrefletidos impulsos do instinto. As regras da Senda determinam que ele precisa escolher, e ele tem que fazer isso de algum modo. A lei da selva, entretanto, chama-o de volta à confiança no modo de escolher a ele ensinado por um processo evolutivo extremamente longo, permitindo às leis do organismo desempenharem seu papel, relativamente fora do controle do processo de escolha individual.

Por conseguinte, a condição humana é a fase de maior crise na Natureza. Conflito e tragédia são características peculiares da vida humana. Nas fases da Natureza que precedem a humana, e em que predomina a lei do instinto, lei inerente às formas, há certa unidade, simplicidade e beleza. Pela mera predominância da lei da selva, todas as forças de uma situação, ou em qualquer criatura em particular, conseguem escapar por um caminho direto e desobstruído. Na humanidade, porém, tais forças estão confusas e não encontram a mais direta e simples saída em termos de expressão. Um desconfortável conflito entre escolha e instinto acontece todo o tempo e, ademais, falta muito da beleza da vida selvagem no mundo humano. Quase sempre, a graça simples e espontânea da vida selvagem não está presente nos humanos, e até mesmo em um nível físico uma pessoa realmente bela é raro de se encontrar.

Mas o notável fluir da vida, ou de vidas, segue seu curso. A fase que está à frente se encontra delineada para nós em muitas das célebres Escrituras existentes no mundo. De nós espera-se que encontremos uma solução para nossos conflitos através de uma crescente preponderância do espírito sobre a matéria, da vida sobre a forma. Um tipo mais elevado de unidade dará, mais uma vez, beleza e simplicidade às nossas vidas. Seguindo a idéia da evolução como um arco ou uma curva, temos agora que nos mover na direção da parte ascendente da curva, aprendendo a manifestar de forma consciente, e através de um processo de escolha, toda aquela graça que expressamos inconscientemente na parte descendente da curva.

A unidade imposta pelas leis do instinto é de uniformidade. Na condição de estudantes de biologia, por exemplo, somos capazes de estudar a vida selvagem sob o aspecto de suas uniformidades e das identidades de reação encontradas em todas as espécies. Contudo, a unidade que nasce da imanência do espírito é a expressão, em termos de infinita variedade, de uma infinita plenitude. É uma unidade na qual inumeráveis e diferentes partes formam um todo através da combinação de suas diferenças complementares. E esta harmonia resulta da emergência de uma realidade existente em todas aquelas diferentes unidades.

A verdadeira regra da Senda não é, assim, um sistema de ética estabelecido por alguma autoridade externa. Ela precisa ser encontrada dentro de nós, assim como a lei da selva é algo inerente à própria vida selvagem. E, quando a verdadeira regra da Senda é encontrada, ela não conflita com a lei da selva. Do mesmo modo que a intuição inclui e harmoniza tanto a mente quanto o coração, inclui e torna inocente todo o aspecto instintivo de nossas vidas.

Este cenário evolucionário torna claro o significado daqueles instintos maiores e irracionais que nos chegam com certas características de uma experiência mística, sempre que tenhamos superado a desilusão com o desejo, o qual preenche o vazio que experimentamos ao reconhecer a incomensurável futilidade de inúmeros desejos. Como muitos notáveis instrutores têm seriamente afirmado, pouco a pouco, à medida que aprendemos a acreditar na vida interna, podemos deixar de lado os sistemas externos, na certeza de que a cura para a nossa imensa nostalgia virá, brotando de uma fonte que não está fora, mas dentro de nós. Isto não quer dizer, por certo, que uma revolta passional contra sistemas éticos é uma prova da experiência de vida interna. Aquele que é livre raramente faz protestos dramáticos e defesas de sua liberdade, ou ataca sistemas que já estão a serviço de outros. Tranqüilamente, ele segue sua Senda e é livre.

6

PROJEÇÃO E INTROSPECÇÃO

Para um melhor entendimento de nossas dificuldades emocionais, podemos considerar este processo evolucionário de outra forma. Digamos que o gigantesco processo que denominamos Universo é causado pela vida movendo-se de dentro para fora.

Nos primórdios do processo evolutivo, a motivação derivava completamente de leis inerentes às formas e aos organismos e não da inteligência interior. Mais tarde, na fase humana da vida, a motivação surge cada vez mais do interior.

Verificamos isto no ciclo menor de uma vida humana ou no ciclo da evolução social. Nos estágios iniciais, somos dependentes de formas exteriores de natureza externa. Nossas vidas, nosso entendimento, nossas relações dependem de nosso ambiente externo. Depois, à medida que crescemos, tornamo-nos mais independentes e começamos a desenvolver recursos internos de inteligência, escolha, compaixão e originalidade. Como dependemos cada vez mais do que está dentro de nós, dependemos menos das circunstâncias exteriores e do ambiente que nos cerca.

A juventude é muito mais dependente de coisas exteriores. Em primeiro lugar, sem dúvida, é necessário que sejamos protegidos na infância. Tudo o que é jovem e se encontra em fase de crescimento parece precisar de algum suporte externo. A Natureza costuma cuidar disso na vida selvagem. No caso da juventude humana, esta depende muito mais de determinado padrão de comportamento e de relacionamento que lhe seja imposto do exterior, alguma coisa digna de confiança. É por isso que um lar desfeito pode ter conseqüências desastrosas, mais tarde, na vida de uma criança. A juventude é também um tempo de vida bastante convencional. A criança insiste em que façamos tudo de maneira correta, que nos adeqüemos a certos padrões. Muitas pessoas conheceram a experiência de se manter organizados de um modo bastante convencional pela ação de uma filha ou de um filho. Na infância, ser diferente é, na maioria das vezes, um crime. A juventude não é um tempo da vida original ou criativo. A juventude, em si mesma, pode ser original no sentido do novo, e tal novidade pode constituir um fator renovador para o mundo. Mas, somente quando nos tornamos mais velhos é que adquirimos autoconsciência e nos tornamos criativos e originais. A juventude é o período do receber e do assimilar, não ainda o da doação consciente. O que a juventude nos dá, é dado mais ou menos inconscientemente - a vitalidade, o charme e todas as esplêndidas qualidades que se observam nesta fase na vida.

Isto se aplica igualmente às almas jovens, às mais primitivas espécies de pessoas. Também elas são extremamente convencionais, bastante dependentes dos padrões que lhes são colocados à disposição. Freqüentemente, são massacradas pelo que parece ser o fardo intolerável do padrão irracional, dos costumes tradicionais e do tabu. Mesmo assim, o rompimento deste padrão as desencoraja profundamente. O mesmo impulso de adaptar-se a um padrão apresenta-se na formação de grupos, seitas religiosas, partidos políticos e outras atividades do ser psicologicamente imaturo.

O progresso social e cultural ainda tem lugar, de forma abrangente, através de padrões, através do rompimento de antigas convenções e através do aparecimento de novos padrões que proporcionam maior campo à capacidade criativa do indivíduo.

Quando as pessoas já de certa forma superaram aquela completa dependência em relação a padrões - condição peculiar às crianças, às almas jovens e às primitivas - ainda assim precisam de modelos. Mas estão igualmente começando a viver de modo mais introvertido e aí passam a necessitar tanto de evocações quanto de modelos. Passam a reagir conforme as circunstâncias e o padrão destas.

Na melhor das hipóteses, as grandes religiões visam ajudar as pessoas em todos os estágios de seu desenvolvimento. Provêm evocações para o surgimento das potencialidades das pessoas mais evoluídas e ainda fixam normas para assistir aos menos evoluídos. Normalmente, uma religião entra em decadência quando suas normas destroem seu aspecto evocador. As expressões que alicerçam a verdade em uma religião têm que ser repetidamente renovadas pela experiência direta de místicos. Religião não vive sem místicos, ainda que as instituições religiosas os temam, pois freqüentemente eles surgem como heréticos, que rompem com os padrões tradicionais. Ao mesmo tempo, contudo, os padrões são naturais e necessários. E quando alguém se insurge contra eles é sinal de que a pessoa que assim se manifesta deles permanece escrava e ainda não se encontra psicologicamente liberta dessa fase.

No processo de sair da dependência das coisas exteriores e passar para uma crescente dependência da vida interior, a situação e o progresso de uma pessoa estão fortemente evidenciados em seus desejos e em suas emoções. À medida que nos tornamos inteiramente dependentes, ou nos sentimos totalmente dependentes do que nos cerca exteriormente, nossos desejos são extremamente fortes e dominam todas as nossas vidas. Para nós que nos encontramos nesta condição, todo o poderoso desejo do lado não-racional da vida está ligado aos objetos e pessoas que nos cercam. Cada problema é um problema externo a ser solucionado por atitudes de amor e ódio. Tudo aquilo que em um indivíduo mais evoluído pode ser sentido como um vazio interior, encontra expressão, neste estágio, como uma necessidade exterior; e tudo e todos que encontramos exercem sobre nós poderoso efeito de atração ou repulsão.

Apenas gradualmente e com nossa lenta evolução nos tornamos capazes de nos desprender um pouco do que nos cerca. Aos poucos descobrimos algo em nosso íntimo que é independente do meio ambiente e, então, podemos sentar calmamente e refletir sobre aquele ambiente com certa tolerância, avaliando-o a partir de modelos não mais baseados nos passionais anseios do eu pessoal. Tal capacidade de nos tornarmos desprendidos, de nos sentarmos calmamente e de olharmos à nossa volta é, sem sombra de dúvida, a marca da completa liberdade psicológica, posto ser um importante avanço.

No mundo moderno existem, em geral, dois tipos de pessoas. Primeiramente, aquelas que projetam seus valores pessoais sobre o mundo que as rodeia. Elas amam e odeiam com violência, e se algo acontece de errado em suas vidas, elas escolhem alguem em quem jogar a culpa. Trata-se de pessoas, na maioria das vezes, muito atraentes, dotadas de certo charme emocional e espontaneidade, como também de certa generosidade. Algo do charme da natureza selvagem permanece nelas. Projetando todos os seus valores emocionais no mundo, permanecem, em certo sentido, em paz com elas mesmas, embora gerando uma situação de desordem na comunidade. Corrupção, revolução e instabilidade de toda sorte infestam a comunidade integrada por essas pessoas.

A seguir, existem as pessoas que não projetam seus valores pessoais tão avidamente no mundo que as cerca. Elas criam um tipo de comunidade mais organizada embora, normalmente, sejam menos atraentes em si mesmas. Os conflitos que elas não projetam no mundo em que vivem, em geral permanecem reprimidos, não solucionados, fazendo-as sofrer de neurose. O desejo ainda se encontra presente mas torna-se bloqueado ou disfarçado. Este conflito interior ocorre porque, apesar de a mente haver consentido em que se retraíssem muitos valores pessoais relacionados com o mundo exterior, o coração não aquiesceu por completo.

É nesta última condição que se encontram muitas pessoas cultas nas mais avançadas comunidades do mundo. Uma vez que o ponto de partida de qualquer progresso ou desenvolvimento tem que estar sempre onde nos encontramos agora, o primeiro passo para as pessoas que se defrontam com esta dificuldade é uma profunda consciência de sua verdadeira situação, um perfeito entendimento do problema, e não qualquer análise mental ou avaliação. Além disso, a solução para elas está em desfazerem-se daqueles valores pessoais que projetaram no mundo, aí incluídas aquelas projeções que elas simplesmente riscaram ou suprimiram de suas mentes.

O suprimir e o desfazer projeções pessoais é a essência do *Yoga* e de vários caminhos tradicionais para a realização mística. Desfazendo-nos dessas projeções pessoais e dos valores que a tudo atribuímos é que conseguimos, por fim, ver as coisas como realmente são. Uma projeção poderia ser, por exemplo, uma criança quebrar seu brinquedo e começar a bater na criança que lhe está próxima, dizendo: "Veja o que você me fez fazer!" Grande parte de nossa organização social e política existe com o objetivo de nos capacitar a fazer projeções desse tipo.

No campo mais pessoal, o fazer projeções quase sempre toma a forma de atribuir-se a outros nossas próprias características negativas e nossos próprios modelos. Costuma-se afirmar que a beleza está nos olhos de quem a vê. O mesmo ocorre com o egoísmo, ou a astúcia, ou o ciúme. Nós apreendemos o mundo de forma emocional, através de nossa própria natureza emocional e de nossas qualidades. Alguns médiuns referiram de que modo a natureza emocional de uma pessoa pode ser vista por eles sob a forma de uma aura circundante e colorida, de tal maneira que cada indivíduo olha para o mundo através das cores de seus próprios hábitos emocionais e vê este colorido por toda a parte.

Uma dificuldade em fazer projeções sobre pessoas próximas a nós é que os fatos evidentes e inevitáveis de uma ocorrência podem demonstrar a falsidade de nossa projeção, fazendo-a retornar a nós de uma forma dolorosa. Por esta razão, muitas pessoas se precavêem, realizando suas mais veementes projeções sobre aqueles que elas não conhecem e que não se encontram tão próximos que lhes possam causar desilusão, tais como estrangeiros, ou pessoas de religião ou classe social diferentes.

Pessoas proeminentes, dirigentes de grandes empresas, personalidades públicas na área política e em assuntos mundiais são alvos especiais para projeções. Alguns deles estão conscientes disto e podem trabalhar criativamente sobre as projeções, oferecendo exemplos que servem de orientação para aqueles que as fizeram. Muitos políticos, desejando rápidos resultados em suas atividades, com sucesso têm organizado as projeções de seus mais ingênuos concidadãos, dando-lhes algo para odiar. Mas um menor número de ilustres figuras da vida pública tem atuado bastante no sentido de oferecer às massas modelos de sentimentos generosos e altruístas.

Muito da vida pública mundial é conduzida em termos de opinião - outra palavra para "projeções". Opiniões são importantes apenas em relação aos valores nelas implícitos. É impossível expressar uma opinião sem que ela subentenda um conjunto de valores. Se dizemos "É bom realizar cerimônias", estamos transmitindo a verdade que se insere em um sistema de valores de acordo com o qual é bom realizar cerimônias. Se dizemos "É prejudicial realizar cerimônias", estamos nos referindo à verdade inserida em um sistema de valores de acordo com o qual é prejudicial realizar cerimônias. Todas as opiniões são falsas relativamente a valores contrários àqueles implícitos em sua forma de expressão. A opinião, em conseqüência, conduz ao paradoxo e ao absurdo.

Os grandes instrutores que têm buscado ajudar a humanidade em seu crescimento precisam, na maioria das vezes, refrear sua preocupação com a opinião. Vivendo em um mundo em que as opiniões são coisas tangíveis, eles não podem, é claro, ignorá-las. Mas eles têm procurado, em especial, ajudar as pessoas a descobrirem por si mesmas a origem das opiniões e a origem dos valores.

Vemos o mundo inteiro sob o aspecto dos valores que nós mesmos projetamos nele, e estes valores implicam separar todos os objetos e classificá-los em agradáveis e desagradáveis. Esses valores são anulados ou desfeitos, e a realidade é vista quando nos tornamos capazes de saber que objetos não são separáveis e tampouco agradáveis ou desagradáveis. Eles são.

Isso não quer dizer que os valores não existem. Valores e opiniões são tão naturais para a existência humana, como as folhas o são para as árvores. Nós não os ignoramos afirmando mentalmente sua irrealidade.

Daqueles que abandonaram e desperdiçaram seus valores, assim que conheceram o que é real, diz o *Bhagavad Gitā*, Cap. V, Aforismo 18:

> "*Os sábios olham igualmente para um Brâmane adornado com erudição e humildade, para uma vaca, para um elefante, e até mesmo para um cão ou um pária*".

E para alguém assim, "um pedaço de terra, uma pedra e ouro são a mesma coisa". Isso não significa, contudo, que, ao serem desperdiçados os valores, todas as coisas têm o mesmo significado, como se fosse tão correto cometer um assassinato quanto ocupar-se com a meditação. Não significa que alguém liberto dos valores e dos pares de opostos irá tornar-se completamente anti-social e irresponsável.

Ao contrário, é quando o sábio descarta seu sistema de valores egocêntricos, sua prudente moralidade e seus conceitos mentais a respeito do certo e do errado, que ele se torna completamente responsável, disciplinado e socialmente construtivo. Pois, ao que parece, na realidade das coisas não há valor algum - na acepção em que entendemos esta palavra - mas, sim, uma perfeita harmonia. O sábio, que é uno com essa harmonia, a qual consiste na verdadeira natureza, na vida sempre presente na mente do todo, sabe o que lhe cabe fazer, pois esta Vida Una é também sua vida.

No mundo em que o sábio liberto vive, ainda existem valores e opiniões - os valores e opiniões das outras pessoas. Esses são fatores reais e vivos, uma expressão de vida adequada para aqueles que os criaram. O sábio não deve desprezar ou atacar esses sistemas de valores e opiniões. Ele pode atuar entre eles, sabendo que, em determinada situação, uns têm mais relevância e utilidade do que outros. Ele pode conviver com eles e usá-los sem a eles estar preso e sem, portanto, desiludir, de modo prematuro e desmoralizante, os que deles ainda não se livraram e que deles continuam precisando e se utilizando. Como é dito no *Bhagavad Gitā*, Cap. III, Aforismo 26:

> *"Que nenhum sábio perturbe a mente de pessoas ignorantes apegadas à ação, mas, agindo em harmonia Comigo, torne atrativa toda a ação".*

De uma pessoa que age corretamente diz-se possuir a qualidade da integridade. "Integridade" vem do latim *integer*, que significa "todo", e o termo "integridade" tem implicações de plenitude e totalidade que não se distinguem do significado atribuído à palavra "saúde".

É comum pensarmos em integridade na ação, significando ser a ação compatível com algum respeitado sistema de valores. Mas a expressão integridade na ação poderia, no máximo, exprimir que a ação está em harmonia com a totalidade das coisas. Quando a ação é compatível com valores e padrões respeitáveis, podemos referir-nos a "minha integridade" ou "sua integridade". Mas, quando a ação está em harmonia com a totalidade das coisas, não pode haver "minha integridade" ou "sua integridade". Há integridade.

Os valores da vida e a harmonia da vida tornaram-se segregados. Na natureza selvagem, eles estão em concordância. Para a unanimidade dos sábios, eles continuam assim. Entre nós, que vivemos em um estado intermediário, valores e harmonia são coisas separadas, e aclamamos como sabedoria o poder que os reúne. Quando sabemos que existe harmonia, a partir da qual são fixados todos os valores relevantes, então podemos abster-nos de ansiosamente projetar valores com a mente funcionando em termos de separação, e podemos observar os acontecimentos com tranqüila e despreocupada discrição.

A unanimidade dos sábios não pode ser a unanimidade de opiniões. Quando alguém perguntou a Lord Beaconsfield a qual religião ele realmente pertencia, ele respondeu: "Todos os homens sábios têm a mesma religião". E, ao lhe perguntarem qual era, disse: "Os homens sábios não o confessam".

É impossível confessá-lo, pois só podemos falar com outras pessoas a partir da experiência que com elas temos em comum, talvez invocando aquela experiência por meio de metáfora ou comparação, talvez expondo novas idéias, de modo muito hábil, por analogia, mas ainda presos pelos limites fundamentais da experiência que temos em comum com aqueles com quem falamos. Linguagem é algo moldado pela experiência, e o nosso discurso humano permanece o de um mundo de valores e opiniões. Em conseqüência, falar é apenas expressar uma opinião. Não que se trate exatamente de algo impróprio, mas não trará implícita a natureza da unanimidade dos sábios e de uma vida despojada de valores e opiniões projetados. Não é apenas em palavras que se encontra a sutil fragrância do verdadeiramente esotérico, daquilo que não pode ser contado, ainda que sobre isso todos os homens sábios sejam unânimes, mesmo que eles não tenham opinião alguma a seu respeito.

7

O PESSOAL E O IMPESSOAL

Como em todos os problemas de mente e coração, o desfazer das projeções destrutivas tem de ser ativado mediante seu encaminhamento para um cenário de algo maior, algo mais próximo do universal. Por vezes, sugere-se que, ao sermos colhidos por uma emoção negativa ou por algum desejo, nós os substituamos por uma emoção agradável e benigna. Que, por exemplo, é possível detectar um sentimento de raiva em relação a alguém e, em troca, transmitir um sentimento de amor. Isso, de fato, somente pode ser feito se dermos um passo na direção do universal. Enfrentaremos muitos problemas se pensarmos em amor e raiva meramente como duas forças iguais e opostas no mesmo plano.

Há uma atitude adotada por algumas pessoas, de sempre procurar excluir o que é destrutivo ou desagradável e cultivar o que é agradável. Basicamente, esta é uma visão egoísta do mundo, que divide as coisas em agradáveis e desagradáveis, de acordo com um modelo pessoal, e se apega ao primeiro grupo enquanto passionalmente rejeita o segundo. A tentativa de dividir o mundo em dois gera enorme repercussão do ponto de vista psicológico e, mais cedo ou mais tarde, a metade rejeitada da vida alcança o indivíduo que realizou a tentativa.

Todas as forças deste mundo são parte de uma realidade, ingredientes de um todo harmonioso e resoluto. Podemos conviver com elas, ajustá-las, trocá-las, conduzi-las a novas formas de alcançar seus próprios objetivos. Não podemos, entretanto, resistir-lhes, ou rejeitá-las, por mais inconvenientes e penosas que elas nos pareçam.

É por causa dos esforços no sentido de dividir a vida em duas partes que freqüentemente acontecem atritos pessoais dentro e em torno das instituições religiosas. As pessoas tentam assumir as coisas por elas consideradas elevadas e sagradas como algo desejável de ser possuído, prendendo-se, assim, ao que é desprezível e profano. Somente ao lidarmos com essas questões de forma impessoal, não apenas como espectadores de um processo universal, mas realmente na condição de agentes desse processo, poderemos atuar em meio a elas com segurança.

Uma atitude impessoal assusta muitas pessoas, porque elas a imaginam mentalmente fria, como que faltando ardor e cordialidade. Elas também acreditam na eficácia de uma atitude pessoal e passional. Muitas coisas, por exemplo, têm sido alcançadas por "legítima indignação", cuja ausência sugere mera e fria indiferença. Contudo, coisas mais importantes podem ser alcançadas sem indignação. Indignação é apenas sinal de que uma personalidade incompleta surgiu no contexto e o Eu integral dele não participou. E as palavras da *Epístola de Tiago, 1:20* permanecem verdadeiras:

> "*Porque a ira do homem não opera a justiça de Deus*"

Uma pequena observação mostrará que apenas quando somos impessoais podemos ser verdadeiramente compassivos. Uma visão impessoal, no sentido de estar livre do calculismo egoísta, do medo, da agitação, da autopiedade ou da raiva, é a única capaz de propiciar um conhecimento preciso de uma situação e uma forma de lidar com ela. Tal atitude nunca é apenas friamente mental. Uma qualidade necessária a uma correta e impessoal avaliação de qualquer situação é o respeito. Trata-se do verdadeiro reconhecimento da grandeza ou pequenez de qualquer coisa, e é um elemento essencial na visão verdadeiramente impessoal. É no universal, no impessoal, que a generosidade, a riqueza, o calor e o colorido da vida são encontrados - a real intensidade lírica do sentimento. Essas qualidades a que chamamos de pessoais - no caso a palavra é utilizada em sentido depreciativo - são desmentidos e negações de tudo isso.

É aquele enfoque prudentemente pessoal em relação à vida, que é mesquinho, frio, sem o entusiasmo e o matiz da compaixão. É isso que nos envolve em lealdades conflituosas e direitos exclusivos.

O fracasso ou a inadequação de atitudes pessoais como soluções finais de conflito decorrem do fato de que a vida é independente. A realização, a riqueza, tudo o que é esplêndido, estão no interior e têm de ser liberados em vez de construídos.

Isto não significa dizer que, tendo atingido certas condições de pureza passiva[2], podemos nos sentar e deixar a "vida" solucionar cada problema a seu bel-prazer. A libera-

---

2 O autor sugere que a pureza passiva que apenas deixa de fazer o mal, não é suficiente, pois também é necessário ser ativo na prática do bem. (N.E.)

ção do esplendor da vida é obtido através do árduo esforço, do forte impulso de vontade intensa, da prolongada força de um pensamento contínuo e construtivo.

Existe, entretanto, o aflito anseio pessoal da precipitação, com ajustes cautelosos, salvaguardas para garantir que a vida não tome alguma direção equivocada ou cometa alguma falta lamentável. Se as principais exigências de liberação da vida são preenchidas, os detalhes, embora não sem importância, não devem ser causa de ansiedade e agitação. E se as principais necessidades não são preenchidas, nenhuma preocupação com o detalhe fará surgir um resultado feliz.

Em uma situação emocional adversa, o que se deve fazer é descobrir o que realmente queremos. Sem analisar a raiva ou o ciúme, ou qualquer que seja a reação superficial, é necessário realizar nosso verdadeiro anseio e propósito. Se tal propósito, em determinada situação, é descoberto, o sentimento adverso simplesmente se afasta e não precisa ser contrabalançado ou compensado em função do que supomos seja seu oposto, pois nosso verdadeiro propósito, em uma situação especial, está sempre fundado na harmonia do propósito universal. Dor e conflito são produto de propósitos incompletos fundados na competitiva separatividade pessoal.

O amor impessoal é tão não-racional quanto a raiva, mas de modo algum é o oposto da raiva. Em nosso estado humano, passamos de um tipo de impulso não-racional para outro, de uma forma de motivação ou inspiração para outra. Esta passagem depende do aspecto emocional de situações e relacionamentos humanos. Nestas situações temos de descobrir, não mental e analiticamente, mas através de forte e profundo sentimento, qual deve ser nossa verdadeira e presente motivação, se o impulso de um desejo pessoal, com a raiva dele resultante, ou a inspiração de uma verdade além da personalidade. E estes também não são opostos no mesmo plano. Esta transição é também um crescimento, uma autodescoberta em um domínio totalmente novo com o qual nossa condição anterior não tem nenhuma relação significativa.

Em geral, o impulso do desejo pessoal, mesmo que refinado, tem suas raízes naquele passado evolucionário quando se fixa a individualidade, a nossa confiável existência em termos de entidades separadas. Tais impulsos são, portanto, desagregadores e incentivadores da separação. Possivelmente sua função não esteja ainda, de forma alguma, inteiramente concluída em toda a humanidade. Contudo, o mais elevado tipo de estímulo não-racional que surge como uma experiência mística, uma nova e harmoniosa intensidade, não apresenta esta característica incentivadora e desagregadora. Será, então, que estamos retendo muitos impulsos que já não mais servem à nossa maior felicidade? Descobrir isto não é um processo mental de análise de nossos impulsos, por mais útil que isto possa ser em seu devido lugar, nem mesmo uma busca possessiva da felicidade. É, sim, a perfeita compreensão, com toda a nossa natureza, daquilo que mais verdadeiramente somos agora.

O que realmente somos, conquanto não definível em palavras, não é uma condição vaga, difusa. Tem seu centro e sua profunda clareza, os quais quase sempre são conhecidos em momentos de admiração impessoal, em impulsos estáveis e sustentáveis de amor e serviço, quando o eu pessoal e calculista foi esquecido.

Algumas vezes é possível reconhecer no momento da experiência quão profundas e fortes são as cidadelas com as quais defendemos nossa separatividade. Muito de nossa energia psíquica, e até mesmo física - ambas desconhecidas para nós - está profundamente envolvida nesses sistemas de defesa que mantemos. Esta é a causa de grande parte de nossas doenças e de nosso esgotamento nervoso. Enorme parcela de nossa vitalidade tem sido mobilizada de modo compulsivo para a tarefa de manter as outras pessoas afastadas de nossa ilha particular.

Tão logo descobrimos e mapeamos alguns lineamentos dessa cidadela que já erigimos quase sem saber, podemos tentar uma experiência, se para tanto tivermos coragem. Escolhemos um lado de nossa cidadela e deixamos de defendê-lo. Se pudermos fazer isso, algo muito belo acontece. Nada acontece. A defesa era desnecessária. O intenso envolvimento de nossas forças vitais nela não era necessário. É nesta medida que nos tornamos livres.

Em qualquer processo de purificação emocional ou autodescoberta, quase sempre uma conseqüência desconcertante é a exteriorização de hábitos emocionais reativos. Quando algo novo se inicia, qualquer coisa que lhe seja incompatível, remanescente do passado, adquire enorme dimensão. Daí, tempestades emocionais, possivelmente depressão, indignação contra outras pessoas, crítica violenta, irritabilidade constante e exteriorizada, desejos e apetites fortes e compulsivos, além de outros impulsos menos dignos. Talvez ninguém possa evitar totalmente ser colhido por esse caudal de emoções, nem tais tempestades serem rápida e facilmente acalmadas.

Em tais circunstâncias, é de máxima importância que haja um honesto reconhecimento do que está acontecendo. Isto torna possível atravessar uma tempestade e resistir a um período de tensão sem que se seja realmente desviado para alguma ação imprudente a partir desses impulsos. Uma paixão pela auto-suficiência faz muito mal em tal situação, e o indivíduo que começa a desafiar o padrão emocional do seu próprio passado precisa estar preparado para que sua personalidade se exponha para si e para os os outros, sob luzes muito pouco lisonjeiras.

Quando a verdadeira atitude impessoal é alcançada, os atos dela oriundos podem ser vistos, com as mesmas características atribuídas, na tradição religiosa, à expansão do próprio Universo. A criação do Universo é, com freqüência, referida em termos de som - a emissão de uma palavra ou o toque de uma nota. Nas Escrituras cristãs, está escrito "No princípio era o Verbo". Mas além e por trás do manifesto estava o imanifesto. O Verbo emergiu do Silêncio. Em todos os nossos pensamentos, sentimentos, palavras e atos, também podemos ser lembrados por emitirmos nossa palavra e nossa nota. Essa nota nossa também tem que surgir de um silêncio, de um núcleo de quietude dentro de nós. Não pode, absolutamente, originar-se apenas de outros sons.

Esta é a diferença entre produzir um som e produzir um ruído. A partir do momento em que nossos pensamentos, ou palavras, ou atos surgem da quietude existente dentro de nós mesmos, passando a existir através de nosso próprio íntimo e de uma escolha autoconsciente, aí estamos verdadeiramente fazendo soar nossa nota. Quando eles resultam apenas de uma reação a outros pensamentos, ou palavras, ou atos, quer nossos ou de outras pessoas, então, estamos apenas produzindo um ruído. Ao invés de agirmos a partir da quietude proveniente do âmago de nosso ser, estamos reagindo exteriormente. Quando agimos a partir daquela quietude, temos o controle de nossas circunstâncias, e nossos atos partilham, de forma diminuta, da qualidade implícita na manifestação do Verbo no começo de um Universo. Quando reagimos exteriormente, as circunstâncias nos controlam.

O silêncio não é negativo nem simplesmente uma ausência de som. É a realidade positiva. Somente ao produzirmos um som verdadeiro é que poderemos avançar para uma nova espécie de silêncio. A mais elevada função de um ato, de uma palavra, de uma obra de arte ou de uma peça musical é criar um novo tipo de silêncio. Sem dúvida, no pensamento de Browning, insere-se uma notável verdade, no sentido de que "o silêncio subentende som", mas em outro nível de experiência, som tem que subentender silêncio.

Há muitos tipos de silêncio, embora até agora não os tenhamos escutado com muito prazer. Contudo, dentro de cada um de nós existe a capacidade de apreciar a harmonia de uma música feita de silêncios. O silêncio físico, embora bastante desejável e uma experiência pela qual a maioria de nós constantemente ansia neste mundo humano, não é o silêncio mais importante. Ele consiste apenas no último e mais afastado eco de um silêncio que vem do nosso âmago. Muitos conseguem criar um silêncio físico e, mesmo assim, emocional e mentalmente, produzem altos ruídos.

Para aqueles a quem, por temperamento, interessa esta idéia, nosso trabalho no mundo pode ser considerado uma constante eliminação de ruídos e uma liberação da quietude criativa.

De acordo com o nosso desenvolvimento e o nosso temperamento será o tipo de quietude que trazemos à luz. Certas quietudes podem ser agradavelmente suaves, confortantes e acariciantes, enquanto outras são poderosas, assombrosas, desafiadoras e implacáveis. Não importa a situação em que nos encontremos, sempre dispomos dos recursos necessários para fazer este trabalho. Isto porque dentro de cada um de nós existe uma profunda e inesgotável fonte de silêncio, passível de ser ainda mais aprofundada, da qual podemos extrair a harmonia exigida pelo momento e pela circunstância.

Em uma situação de quietude às vezes é possível ouvir a canção da vida ou captar a música do grande coro ou orquestra da vida. Somente alguns poucos integrantes de nossa humanidade conseguiram até agora, tornar-se, de modo autoconsciente, sócios efetivos desse coro ou dessa orquestra, revelando-se mestres da música da vida. Muita informação tem sido transmitida quanto às qualificações necessárias para nos associarmos a essa empresa. A propósito, cita-se no livro *Luz no Caminho* de Mabel Collins:

> *"Antes que a voz possa falar na presença dos Mestres, deve ter perdido o poder de ferir."*

Não é suficiente que tal afirmação se revista de autoridade. A afirmação visa a que tenhamos condições de descobrir por nós mesmos se algo adverso de fato acontecerá, caso abandonemos o poder de ferir. Então, experimentando de maneira integral, teremos o conhecimento direto e seremos capazes de escolher por nós mesmos e, se for este o caso, contribuir integralmente para a grande canção da vida. Mas essa canção existe a bem do Silêncio, e não o Silêncio a bem da canção.

8

PODER E FORMA

As pessoas costumam imaginar que emoção é um tipo de força que flui através de nós. Em nossos sonhos e nos mais antigos mitos e tradições, quase sempre a emoção é representada sob a forma de água, ou de uma veloz corrente de maré, ou de um mar perigoso e bravio ou, ainda, de suaves e tranqüilas águas curativas. Há sempre a idéia de fluxo e poder, mesmo que o poder seja restringido e o fluxo, temporariamente serenado.

Entretanto, com suas características de atração e repulsão, amor e ódio, a emoção também encontra sua expressão em padrões. A força é canalizada. A emoção não estimula simplesmente as pessoas, mas flui constantemente através de formas de relacionamento humano mais ou menos duradouras por ela criadas.

Assim, duas são as tendências, no que diz respeito à emoção. Ou a consideramos força e nela pensamos em termos dinâmicos como movimento e poder, ou a julgamos a partir dos padrões por ela criados, os relacionamentos por ela estabelecidos, as situações através das quais ela se expressa.

De certa maneira, o modo como consideramos a emoção dependerá consideravalmente do sexo de nossa atual personalidade. Os dois sexos encontram-se profundamente envolvidos nesses dois aspectos da emoção. As mulheres, tanto em termos de emoção quanto em muitos outros sentidos, expressam o poder da vida. Nas mitologias antigas as deusas freqüentemente representam poder. Elas não personificam o poder, pois *são* o poder. Os deuses - os masculinos - eram personificações, modelos de poder, enquanto as deusas eram o próprio poder. Em muitos quadros é possível ver os grandes deuses indianos, cada qual com sua esposa, chamada de *shakti*, ou poder. Quanto aos homens, por outro lado, estão fortemente vinculados ao aspecto do modelo ou padrão de vida.

Cada um dos dois sexos está ligado ao aspecto oposto àquele com o qual está relacionado. A mulher tem poder, mas busca um modelo. Ela almeja uma distinção e, neste sentido, é altamente receptiva. O homem possui seu padrão, mas sonha com o poder. A ele se atribui o sexo forte, portanto, pela lei dos contrários, é inspirado, em maior proporção, por um idealismo mais romântico e utópico e por tolas fantasias. Buscando a estabilidade de um modelo, a mulher sonha com um centro para seu círculo. O homem, arraigado à fixidez, busca um círculo para seu centro.

Contudo, apenas os menos evoluídos integrantes da raça humana pertencem quase que, inteiramente, a um sexo ou a outro. Para tais pessoas, todos os valores e objetivos da vida são externos. Elas estão, de fato, eternamente no caminho da busca. Amam e odeiam intensamente e de uma forma totalmente pessoal, observando o mundo todo em função dos valores, atraentes ou repulsivos, que elas próprias nele projetaram.

Os integrantes mais evoluídos da humanidade começam a perceber que, embora durante certo tempo aparentemente pertençam a um ou outro sexo, possuem dentro de si características de ambos os sexos. Contêm o aspecto de poder e o aspecto de modelo, e sua busca por plenitude precisa, de certo modo, ser satisfeita tanto no seu íntimo como pela persecução de objetivos externos.

Além do mais, na medida em que cada um começa a ter uma vida interior, os dois sexos existentes no indivíduo unem-se em atos de criação. Na verdade, se formos seres humanos adultos completamente desenvolvidos, temos que, de alguma forma, ser pais e mães de bebês em cada relacionamento ou ação na vida. Quando nos deparamos com uma outra pessoa, ou até mesmo quando lemos um livro, há que se originar daquele contato um terceiro elemento, um novo pensamento, um vislumbre de alguma coisa nova, algo que enriquecerá o emocional e o mental e, possivelmente, até um pouco da estrutura física da vida. Algo novo é também criado intimamente através daquela união dos dois sexos em nós. Assim que eles se integram, nós nos tornamos unidos e calmos dentro de nós e eficientes e criativos em nossas ações externas.

Infelizmente, esta condição de unidade interior não é atingida com muita freqüência. E, quando não estamos completos interiormente, tendemos a procurar uma compensação para essa pobreza íntima, mantendo-nos ligados a pessoas e coisas que encontramos ao nosso redor no mundo externo. E sobre tais pessoas e projetos, que parecem preencher o vazio que há em nós, projetamos aspectos atraentes.

Esta é a origem de muitos problemas e conflitos entre os sexos. O fracasso em nossa unidade interior é um fracasso no amor impessoal; e caímos, então, novamente no tipo de amor pessoal e possessivo. Tentamos usar as pessoas que estão próximas a nós como fantoches, substitutos e compensações em algum conflito interior de nossas próprias distintas personalidades. Ainda que interpretada de modo favorável, uma relação baseada em tal carência interior e na ânsia de preenchê-la a partir do exterior é, até certo ponto, uma relação de exploração. Um elemento de exploração mútua continua presente em muitos relacionamentos humanos, que gradativamente cedem lugar a modelos mais humanos e impessoais.

O verdadeiro amor é livre da dependência. Pode surgir em uma relação em que haja dependência, em que um indivíduo pode contar com o outro de algum modo, mas sem estar preso àquela dependência. Amar e necessitar são duas coisas diferentes. Podem ser combinadas, porém não são interdependentes. Ser feliz estando ou não presente a pessoa amada é uma das realizações do amor verdadeiro.

No tipo de amor mais enriquecedor há muito mais que uma atração mútua. Duas pessoas não se movem simplesmente uma na direção da outra, ou paralelamente uma a outra; elas convergem para algum terceiro objeto. Algo na natureza de um terceiro que se integra, faz sua aparição até mesmo nos mais primitivos níveis de amor. Aparece na paixão que ambos podem conquistar juntos, mas nunca separadamente. Traduz-se em termos de lar e crianças. Mas, conquanto esses objetivos possam servir à união de muitos amantes humanos, eles, pouco a pouco, nos indivíduos mais integrados, deixam de existir, em favor da integralidade daquele terceiro objeto para o qual ambos convergem. Aquele terceiro objeto torna-se, por fim, a Realidade una, o Coração da existência universal; e aqueles unidos pela devoção ao centro estão livres na periferia. O que quer que possam criar, juntos ou separados, será dedicado ao serviço da vida una universal. No caminho em busca da mais alta realização do amor, muitos são os que descobrem que o que os une mais intimamente a outros é o compartilhar de um grande ideal ou de alguma nobre tarefa em prol da humanidade.

Muitos fracassos de ajustes emocionais decorrem de experiências adversas na infância. Freqüentemente, é o lado mais receptivo da natureza da criança que sofre mais dano. Exposta a muitos impactos conflitantes, o aspecto receptivo e feminino da criança está como que sujeito a repetidas experiências de violação. E o resultado é o medo e um protetor endurecimento das sensibilidades. Em geral, isso produz, mais tarde, relacionamentos iníquos na vida, os quais, por sua vez, criam um ambiente no qual ainda outra geração de crianças receberá um modelo inicial de relacionamento que está longe de ser perfeito. A transmissão de algum legado de desconforto emocional é provavelmente um traço da vida de cada família humana, até mesmo entre pessoas gentis, boas e esclarecidas. A dissipação deste fardo humano será alcançada através de uma reação cada vez maior a considerações que extrapolem o egoisticamente pessoal e através da descoberta de que há maior satisfação e uma realização fundamentalmente mais prazeirosa em um amor impessoalmente responsável do que em um amor baseado na recompensa e em anseios até mesmo dos mais sutis e refinados.

A qualidade dos relacionamentos com outras pessoas é eternamente um indicador do equilíbrio interior ou de falta de equilíbrio. Um relacionamento "perfeito" não pode, é claro, ser criado apenas por uma pessoa, pois todo relacionamento exige, no mínimo, duas partes, ainda que uma delas possa trazer para a relação uma contribuição perfeita e a torne perfeita em sua própria vida. Pode-se dizer que para qualquer relação são necessários três fatores. Isto porque há sempre o terceiro fator, que é o produto ou objetivo dos dois iniciais. Há sempre uma "criança". Com freqüência, a família é considerada a unidade social básica. Há, porém, um entendimento segundo o qual cada indivíduo é ele próprio uma família, uma unidade constituída de pai, mãe e filho. Não se trata, no caso de uma unidade estática, pois a "criança" está eternamente nascendo. Temos que estar sempre crescendo, fazendo germinar novos brotos verdes.

Há uma conexão indissolúvel entre ação útil realizada no mundo exterior e o crescimento ou emergência da natureza íntima do homem. Os triângulos entrelaçados, com os vértices apontando para cima e para baixo, no símbolo da Sociedade Teosófica, podem ser considerados com este significado. Dar origem ao que é bom significa gerar harmonia e integração no íntimo, e não há realização espiritual interna sem doação.

Quase tudo que pode ser dito sobre relacionamentos externos aplica-se, de modo convincente, à relação criativa entre as origens de poder e de padrão em nosso íntimo. O que pode ser dito, por exemplo, sobre a necessidade de crescimento do sexo feminino não diz respeito apenas a algo que necessita ser feito em favor de um sexo. Precisa considerar também alguma coisa que é para ser feita dentro e através do feminino que habita em cada um, a despeito de qual seja o sexo. Tudo o que deve ser feito em favor das crianças do mundo também tem de ser feito em benefício do elemento criança perpetuamente emergente em nossas próprias naturezas.

O problema de relacionamento não solucionado em certo nível surgirá da crescente atividade e tensão em outro nível. Aqueles que não são criativos, em relação à generosidade em termos de pensamento, sentimento e ações, descobrirão que a Natureza, então, exigirá sua criatividade no nível biológico instintivo. Autodecepção através de alguma forma de egocentrismo está freqüentemente associada a uma atividade sexual excessiva e instável. Nas comunidades, a falta de espírito público muitas vezes vem acompanhada de relações particulares compulsivas e irresponsáveis. Caso as evidências externas de instabilidade sejam suprimidas por uma aguda inteligência, o indivíduo torna-se quase sempre perturbado por algum tipo de neurose ou outro tipo de doença.

Ao longo de toda uma vida, cada indivíduo precisa crescer da infância à fase adulta. A infância é um tempo de receber, a fase adulta, de doar. Durante o crescimento, há toda uma possível combinação intermediária de receber e doar, desde a quase completa dependência da criança em relação ao que lhe chega de outras pessoas, à quase total independência ou auto-suficiência dos santos. Podemos ser razoavelmente adultos em algumas coisas, mas apenas infantis em relação a outras.

A atitude adulta ou verdadeiramente parental é de afeto, paciência e tranqüilidade. Não envolve qualquer pretensão à superioridade. Se alguém é superior com referência a alguma coisa, desnecessário se torna afirmar isto ou orgulhar-se disto. Não se deve ser orgulhoso pelo fato de nossas realizações intelectuais serem superiores às de uma criança ou às de um animal. É possível lidar com grande variedade de situações reconhecendo-se a "criança" na outra pessoa. A raiva ou a negligência do outro reflete simplesmente sua imaturidade, a ser considerada com paciência parental e bom humor. Se também nós ficamos bravos, proclamamos nossa própria imaturidade.

São as características individuais de comprovação mais recente, ou algo do gênero, que estão mais sujeitas à introversão sob condições adversas. Em situações de esforço, fadiga ou estresse, caímos de novo naqueles antigos hábitos de nosso passado, buscamos as seguranças da infância e reivindicamos o privilégio do melindre.

É no ponto de transição para novas experiências que nos tornamos mais vulneráveis - e devemos reconhecer isso tanto em nós mesmos quanto nos outros. Em cada um de nós deve haver uma fronteira de expansão movendo-se gradualmente na direção de nova experiência emocional. É nesta fronteira de descoberta em nós mesmos que criamos nossas obras de arte pessoais mais brilhantes e sofremos alguns de nossos mais intensos sentimentos. Algumas vezes naquela fronteira sentimos uma intensa necessidade de alguma outra pessoa, e aquela pessoa se torna de grande importância para nós naquele momento. Então, a fronteira se desloca, e nós superamos aquela pessoa. Se, durante esse período, tivermos construído um estreito relacionamento a partir daquela sensação passageira de necessidade pessoal, poderemos encontrar-nos em uma situação muito infeliz. Aquela fascinação foi, na verdade, um daqueles tipos de comoção que deveríamos ter deixado passar. Mesmo que um palpitante anseio pessoal prepondere, durante algum tempo, em nossa vida emocional, temos que, de forma resoluta, conservar a perspectiva impessoal. Em relação a esse novo elemento, devemos ter também uma atitude parental, ajudando nosso novo "bebê" a preencher suas necessidades, mas não permitindo que se torne um irresponsável e autocrático patrão.

A atitude parental é, também, mais que um mero e indiscriminado espargir de uma vaga benevolência por sobre o mundo. Aqueles que dedicam um verdadeiro amor parental à grande orfã, a humanidade, reconhecem que cada ser humano é singular e necessita dar e receber uma resposta que é inteiramente sua. É preciso ir a cada um, individualmente, com reconhecido anseio de buscar a exclusiva mensagem que ele nos traz. Cada pessoa com quem nos relacionamos, mesmo que primitiva, pode prestar-nos um serviço que ninguém mais no mundo pode realizar, extraindo de nós uma resposta que é única, o que não poderia ser feito por ninguém mais. Contudo, todas essas singularidades são apenas expressões da infinita plenitude da Realidade una.

9

O Caminho da Cruz

Sempre que com ele não estejamos plenamente identificados, vivenciando-o como um poder ou seja, nós mesmos, o propósito da vida revela-se em algum tipo de padrão. O mesmo modelo é encontrado expressando-se de várias formas e em diferentes níveis de existência.

Assim, há um certo padrão psicológico presente na vida de todas as pessoas, com muitas variações de menor importância, mas com uma uniformidade essencial, a qual faz com que todos sejamos fiéis ao tipo, na condição de seres humanos. Nenhum de nós é tão completamente humano como gostaríamos de ser. Não somos vigorosos e autoconscientes como seres humanos todo o tempo. Por vezes, encontramo-nos sucumbindo a uma situação de melancolia, automaticamente, quando nossas reações e até mesmo nossos pensamentos e sentimentos atuam independentemente de nossos Eus mais verdadeiros. Nem sempre estamos completa e humanamente despertos. O padrão essencial de nossa humanidade, em conseqüência, não se mostra claramente. Está obnubilado e aparece de modo intermitente e fragmentado.

Em muitas das grandes religiões, entretanto, nos é oferecida a descrição de um ser humano completo, que domina inteiramente os mais altos e nobres atributos da natureza humana em todos os tempos. Tal ser, havendo completado seu ciclo na humanidade, também apresenta algumas das características de uma condição que subjaz além de nosso estágio humano. De certo modo, ele é sobre-humano. Em muitas religiões, mesmo nas mais primitivas, tal indivíduo é representado não apenas como tendo ascendido ao ápice da realização humana, mas também como tendo proporcionado um meio pelo qual a divindade pode descer ao nosso mundo humano. Já que existe todo um padrão de humanidade, também se revela, através dele, pelo menos, algum traço de divindade. E, nesse longínquo vislumbre de divindade, vemos, ainda, novamente, o mesmo padrão sob uma forma magnífica e misteriosa, vagamente expresso em todo o processo da existência universal.

Espontaneamente e sem premeditação, nós, seres humanos, compusemos aquele modelo na própria estrutura de nossos mitos, de nossos símbolos, de nossas cerimônias e nossas obras de arte. Porque somos almas, tudo que criamos traz a marca do drama da alma, sendo que o moralista preocupado com a questão pode visualizar e esclarecer isto a partir de qualquer fantasia ou acontecimento verdadeiro da vida humana.

No arquétipo global, como de várias maneiras ele costuma ser retratado, refletido, simbolizado ou personificado, há certas grandes crises, certas excepcionais experiências elevadas e profundas. A principal, dentre estas, é a que aparece na tradição cristã como a Crucificação.

Na maioria das vezes, a atenção dos cristãos está dirigida à Crucificação como um evento histórico na vida de um homem divino, aquele cuja natureza humana foi aperfeiçoada, transcendida e harmonizada com uma divindade onipresente. Mas também aprendemos da tradição cristã que aquela enorme crise acontece no padrão de vida em todos os níveis. Em nível universal, aquele da divindade no interior e além de nossa completa existência, é-nos dito que há um misterioso sacrifício, uma morte a ocorrer, que o grande arquétipo pode ser alcançado, e o Universo, construído e aperfeiçoado. Há uma misteriosa referência a um Cordeiro sacrificado desde a fundação do mundo.

O mesmo deve acontecer no nível individual, em meio à experiência psicológica de cada ser humano. A propósito, lemos "O Cristo em vós, a esperança de glória".[3] E Johann Scheffler, místico alemão do século XVII, escreveu:

> *"Ainda que o Cristo nasça mil vezes em Belém, se não nascer dentro de ti mesmo, tua alma estará desamparada. Tu buscarás a cruz do Gólgata em vão, a menos que novamente ela se erga no teu interior."*

E o evento, em qualquer nível, do universal ao particular, é essencialmente um evento. Não há senão um sacrifício.

Crise similar é retratada nas Escrituras e em tradições de outras religiões. Repetidamente, os heróis divinos das várias religiões sofrem a morte de algum modo e então vivenciam a ressurreição.

Há certas características gerais na história da Crucificação bastante reveladoras, no que diz respeito à mesma crise em qualquer nível. A vítima é um salvador. Ele salva

---

3 *Colossenses 1:27.* (N.E.)

outros. A si mesmo, não pode salvar. Ele sabe que a crise da sua crucificação é inevitável - dela não pode escapar de forma alguma. Ele sabe que isso faz parte do plano, é parte do modelo de vida fixado para ele. O que ele sofre, outros sofrem. Ele é capaz de conceder algum benefício especial a outros através do que ele mesmo está passando. Finalmente, a crucificação conduz a uma ressurreição. Isso realmente não pode ser dado a conhecer à vítima. Talvez esta o conheça intelectualmente e possa mencioná-lo antecipadamente como algo que irá acontecer; mas não pode ter a percepção do momento do desastre. Não pode dele extrair qualquer esperança ou conforto. Sua desolação é completa.

Mesmo assim, a crucificação e a ressurreição são inseparáveis. Isso se aplica a toda a Natureza e à vida do homem. Disse Jesus a todos sobre sua própria experiência e a realidade desta:

> *"É chegada a hora em que o Filho do homem há de ser glorificado. Na verdade, na verdade vos digo que, se o grão de trigo, caindo na terra, não morrer, fica ele só; mas, se morrer, dá muito fruto. Quem ama a sua vida, perdê-la-á, e quem neste mundo aborrece a sua vida, guardá-la-á para a vida eterna".*[4]

E São Paulo disse:

> *"O que tu semeias não é vivificado, se primeiro não morrer".*[5]

---

4 *João 12:23-25.* (N.E.)

5 *I Coríntios 15:36.* (N.E.)

Assim, as várias crucificações da vida envolvem o desprender-se de alguma coisa exterior para que algo mais profundamente interior possa ser encontrado. Não importa o quanto possa parecer ter sido perdido em uma crucificação, a infinita plenitude da vida proporcionará sempre uma ressurreição gloriosa acima de qualquer coisa que pudesse ser imaginada antes. Mas este elo entre ressurreição e crucificação não pode basear-se na prudência e na autopreservação. Não podemos "comprar" tanta ressurreição punindo a nós mesmos com tanta crucificação.

O Caminho da cruz, em qualquer nível, significa uma entrega ao verdadeiro âmago da vida, não exatamente a uma lei que atua na superfície da experiência. Que há uma lei de ação e reação, uma lei do *karma*, todos sabemos. Talvez possamos, de vez em quando, ver algo como uma conta bancária operando em função de créditos e débitos, de mérito e demérito. Porém, trata-se, apenas, da justiça da vida, percebida sob o prisma de nossa competitiva separatividade. O Caminho da cruz envolve um conhecimento da justiça da vida, não do ponto de vista de uma separatividade, mas de nossa unidade. Ele surge a partir de uma compreensão, de uma intuição, a de que todos nós somos "membros uns dos outros".

Esta nossa unidade pode ser explicada ou demonstrada filosoficamente, ou de várias formas que apelam para o racional. Mas este não é o principal recurso, ou preocupação, de quem segue o Caminho da cruz. Ele sabe. A elaboração intelectual dos detalhes de como a unidade pode ser entendida como tendo surgido em um mundo de diversidades é, na melhor das hipóteses, questão secundária. Na maioria das vezes, a pessoa não irá dar-se ao trabalho de se preocupar. Não acredita em explicações, mas, sim, em uma irresistível convicção, uma autocrática intuição que não a abandonará. Sabe que a vida é una, não por haver lido isto em algum livro ou porque isto lhe tenha sido explicado, mas porque ama a vida tão profundamente que dela não pode separar-se. Naquele amor, aquele completo conhecimento que é independente de toda informação exterior, ela pode enfrentar a morte.

Ainda assim, a travessia é sempre dolorosa, aflitiva, de um modo sutilmente desagregador, e muito solitária. Em primeiro lugar, se um indivíduo, de fato, realizar a travessia aceitando por completo sua vida interior, todos os resquícios de desejos insatisfeitos que nele permanecem precisam primeiramente ser enfrentados e removidos. Muitas vezes, uma das tragédias da vida reside no fato de, ao termos de lidar com alguém que alcançou esse estágio, nós vermos seu lado externo e ficarmos mais conscientes da desordem causada pelos desejos insatisfeitos, que estão aparentes, do que do despertar da vida interior nele. As vidas daqueles que se voltam para a mais elevada realização interior são, quase sempre, visivelmente incoerentes e difíceis de serem entendidas e de obterem solidariedade, porque um conjunto crescente de hábitos relacionados ao desejo faz sua derradeira investida, e uma dolorosa purgação se processa. Tal pessoa passa, também, por um momento de grande solidão, pois perdeu a companhia e a compreensão daqueles que estão no lado de cá da travessia e ainda não se uniu aos que se encontram do outro lado daquela experiência transformadora.

Os que conseguiram realizar a travessia, verdadeiros adeptos do viver, podem ajudá-lo, às vezes, e mantê-lo firme, ao longo de algumas de suas provações e experiências; mas não podem fazê-lo por ele e, assim, ele terá que suportá-las por si mesmo, aparentemente sozinho, embora muito possa esperar da afetuosa compreensão daqueles que cruzaram o abismo antes dele.

Um ensinamento muito importante sobre a Crucificação é o de que ela é suportada em benefício de outros, em benefício de toda a Humanidade. Por sermos todos uma parte de matéria, em nossa mais íntima natureza, podemos entender que o que é feito, por qualquer indivíduo, com um espírito totalmente altruísta, é conquista de todos; contudo, as pessoas questionam-se sobre a razão de o sofrimento, de certa forma, ser uma contribuição para o todo.

A resposta deve ser encontrada em uma apreciação do grande arquétipo em seu aspecto universal. É possível imaginar o Universo como uma grande obra de arte em processo de criação, evoluindo lentamente em direção à perfeição. Mas o grande Artista não está separado da obra de arte. Sua vida imanente é que anima a obra, Sua concentração de esforço e atenção é que o conserva unido e o faz crescer e desenvolver-se. Aquela obra exige um grande sacrifício, uma grande autolimitação, tornando imanente ao conflito, às restrições e ao estresse de um Universo em evolução uma vida que é livre, incondicional e transcendente. E a elaboração desta obra de arte é um processo notável. O processo pode ser levado adiante em miríades de formas separadas, e as tensões podem parecer individuais àquelas formas. Porém, na verdade, as tensões são todas parte de uma grande obra. Cada espírito individual do homem é a vontade corporificada do Artista em ação no ainda refratário material do qual a consumada obra de arte deverá formar-se. Primeiro, há uma luta, e a vontade do artista é frustrada pelo grosseiro e resistente material; contudo, com perserverança, a vontade sustenta-se a si mesma e é finalmente capaz de moldar o material conforme o desejo de Seu coração.

O verdadeiro sacrífício, ou o "tornar-se sagrado" pelo sofrimento, ocorre quando o sofredor reconhece que aquilo pelo qual está passando faz parte da tensão do grande esforço que dá origem ao Universo e o conduz à perfeição. A divindade age no indivíduo que é capaz de considerar as tensões de sua própria vida como algo que ajuda a carregar o fardo da tensão envolvida naquela grande obra; e, provavelmente, não está muito longe o momento em que ele se encontrará participando também da alegria pela realização do Artista.

Seguir o Caminho da cruz não obriga, necessariamente, a enfrentar grandes e trágicas crises todas de uma vez. Implica colocar, em um cenário mais amplo e menos pessoal, tal conflito, sempre que ocorrer conosco. Se, em algumas de nossas crucificações menores, aceitarmos nossa dor e nosso sofrimento, quando ocorrem, como parte da tensão necessária àquela obra de arte - o Universo - e não como questões distintas e pessoais, teremos chances muito melhores de seguir, a partir de algumas de nossas maiores crucificações, em direção às ressurreições que eles nos garantem, caso deles nos aproximemos trilhando verdadeiramente o Caminho da cruz.

Para a maioria das pessoas, à vida falta emoção. Nenhuma novidade agradável, nenhum prazer intenso, ou mesmo dor, acontece em suas vidas. O impacto da experiência tornou-se bloqueado, e suas vidas tornaram-se sombrias e monótonas, intoleravelmente enfadonhadas. Este tédio surge de um estado de confinamento em um eu pessoal e pequeno, construído de memórias e reações defensivas. É pela dissipação deste eu menor que contribuímos para a grande obra. É em favor deste eu menor que temos de morrer, que podemos experimentar a ressurreição e ser "elevados em glória".

10

Plenitude

O termo plenitude ainda significa, para grande parte da humanidade, a consecução de algum objetivo externo ou de alguma condição visivelmente definível. Todavia é também de certa forma amplamente reconhecido o fato de que a realização externa acompanha uma integração interior da personalidade. Cada indivíduo tem um potencial de plenitude para um determinado período de vida. E os impulsos emotivos, quaisquer que sejam, que o conduzem ao longo da vida estão consciente ou inconscientemente voltados para o atingimento daquele potencial.

Plenitude, conforme o mundo reconhece, tem sua realidade em muitos níveis; e sucesso ou fracasso em sua consecução estão principalmente relacionados com a adequação do nível em que ocorrem, com a capacidade do indivíduo. O que para um indivíduo poderia representar uma realização enriquecedora, para outro poderia ser considerada insuficiente. Em determinado estágio, entretanto, acontece certa desilusão em relação a todas as realizações exteriores concebíveis. Ainda que respeitáveis, os objetivos de realização que a personalidade coloca diante de nós são gradualmente vistos como não de todo satisfatórios - na verdade, algo enfadonhos.

É nesse estágio que o indivíduo pode obter o seu primeiro vislumbre de um tipo completamente novo de realização. Aquilo que é inato nele não mais representa alguma crise própria do eu pessoal, tampouco uma qualidade ou atributo pessoal ou algo adquirido do mundo externo. A "criança" nascida não é mais uma conquista pessoal, mas é universal e divina. Algumas vezes é denominada a criança Cristo. O primeiro vislumbre de uma plenitude completamente nova é apenas um começo. É necessária uma longa história antes de o batismo, a transfiguração, a crucificação e a ressurreição fazerem surgir, em toda a sua estatura[6], o Cristo que havia nascido e o indivíduo entregar-se inteiramente a esta nova plenitude, que não lhe é peculiar, mas, mesmo assim, lhe é mais intimamente peculiar que qualquer outra plenitude jamais poderia ser.

A primeira descoberta do novo tipo de motivação, do novo impulso de vida, da resposta do universal dentro de nós ao chamamento do universal que nos rodeia, é quase sempre vivenciada através de um impulso extasiante de admiração impessoal. Diz-se, pois, que o notável místico indiano, Sri Ramakrishna, vivenciou seu primeiro êxtase ainda criança, quando dominado por um súbito arrebatamento ao mirar garças brancas voando em frente a uma bela nuvem negra de trovoada. Irmão Lawrence, místico cristão, descreveu certo episódio de arrebatamento que o surpreendeu aos 18 anos de idade.

> *"No inverno, vendo uma árvore desprovida de folhas e considerando que em breve as folhas se renovariam, e depois as flores e as frutas apareceriam, ele teve uma sublime visão da providên-*

---

6 Conforme *Efésios 4:13*: "Até que todos cheguemos... a homem perfeito, a plena medida da estatura de Cristo". (N.E.)

cia e do poder de Deus que desde então jamais se apagou de sua mente".

Por vezes, diz-se que este arrebatamento, esta descoberta, parece um transformar como o de uma pequena criança. O que não significa, entretanto, que isso deva ser encontrado voltando-se àquela inocência da infância, que também precisa incluir certo grau de ignorância e de irresponsabilidade; pois existe uma espécie mais elevada de inocência, própria da verdadeira fase adulta, parecida com a infância, mas não infantil. O frescor primaveril dos primórdios da vida tem que ser perdido por algum tempo para que possa ser encontrado novamente sob uma nova e mais maravilhosa forma. É como se a inocência de nossa infância fosse uma chama sobre a qual grande quantidade de combustível tivesse de ser acumulada, de modo que, por alguns instantes, pareceria que o fogo se apagara e que nada haveria além de fumaça. Mas chega o momento em que, com o combustível suficientemente consumido, uma chama surge novamente, uma bela chama completamente nova, com um matiz de pureza e riqueza que ela jamais poderia ter, caso aquele combustível não houvesse sido acumulado e aos poucos consumido.

A característica de suave frescor dos primórdios da vida encontra sua verdadeira consumação e plenitude no sábio que chegou ao fim do ciclo da experiência humana. Quanto às características da fase ulterior, representam a plenitude autoconsciente daquelas mesmas características encontradas na fase inicial. A beleza e a espontaneidade da juventude e da natureza selvagem são uma vez mais assumidas na Senda da ascensão, não como posses pessoais ou objetos de ambição, mas para benefício de todos.

É possível que o imaturo imite as características do sábio recorrendo àquelas da infância. Assim, por exemplo, há o desapego do sábio e o desapego da criança. O desapego do sábio é responsável e compassivo, por subentender profunda experiência e não ser indiferente. Mas o da criança é frio e irresponsável, pois, não estando nele subentendida qualquer experiência, é indiferente, como indiferente é a atitude de um jovem animal. A independência e o desapego do sábio somente são conquistados de alguma forma, após ter ele sofrido todas as coisas, e ter-se tornado vulnerável a todas as coisas, enquanto um desapego baseado em separação e numa invulnerabilidade protetora só pode ser o de uma criança. O verdadeiro desapego, o desapego do sábio, jamais poderá servir de base a uma pretensão, de caráter pessoal e competitivo, à superioridade.

Certo grau de proteção em relação ao mundo e à responsabilidade é privilégio da criança. Quanto a nós continuamos a reivindicar isto cada vez menos até o verdadeiro fim, quando o pessoal se dissolve em uma aceitação do universal. É comum pensarmos em plenitude como o alcançar de alguma vantagem e de certa segurança. Pensamos nela como uma expressão de nós mesmos, como quando concluímos alguma obra de arte ou chegamos aos braços seguros de alguém que desejamos. Tudo isto são realizações legítimas. A descoberta mística, no entanto, é de uma plenitude tal que parece, a princípio, capaz de destruir todas as demais.

A descoberta revela, conforme a capacidade dos místicos para avaliá-la, que há apenas uma vida, uma vontade, um propósito no Universo, e que a única plenitude que satisfaz é a realização daquele propósito único. Tal propósito expressa-se em miríades de objetivos menores, mas mantém-se uno quando visto de forma total ou quando contemplado por uma mente pura.

Por muito tempo parecia haver duas vontades na vida, ou seja, a "minha" vontade e, então, com freqüência, em ameaçador contraste a ela, a grande e fria vontade da Natureza, o poder inexorável e inexaurível que conduz o Universo para a frente. Mas, quando a desilusão houver enfraquecido o estímulo pessoal e o deslumbramento, ou qualquer outro impulso impessoal tiver aberto um caminho para um novo mundo, será possível saber e vivenciar que existe somente uma vontade, a qual não é nenhuma destas duas, ainda que contenha ambas.

A personalidade, aí, é percebida não mais em profundo contraste com o meio ambiente. Ela não é senão uma parte dele, específica para determinada finalidade. As grandes forças da Natureza têm seu papel tanto no mundo exterior quanto na personalidade. O verdadeiro Eu é um espectador da atividade delas em ambos e sabe que aquela atividade prossegue na direção da plenitude universal.

Este espectador imortal, observador silencioso dentro de nós, não é um Universo incondicionado, eis que permanece individual, conquanto não pessoal. Sua extraordinária individualidade é uma expressão daquela variedade infinita e harmoniosa, que, por sua vez, é a expressão da infinita plenitude da Realidade una universal. Até ser entendida e preservada como um instrumento deste Eu imortal, a personalidade exibe variedade, mas não harmonia.

Madame Blavatsky descreveu "plenitude" com estas palavras, no livro *Ocultismo Prático*:

> "Que eles saibam *de uma vez por todas e recordem para sempre que o verdadeiro Ocultismo, ou Teosofia, é 'A Grande Renúncia do eu', de modo incondicional e absoluto, tanto em pensamento quanto em ação. É ALTRUÍSMO, e retira completamente aquele que o pratica do cômputo do mundo dos vivos. Não para si mesmo mesmo, mas para o mundo ele vive, tão logo tenha se comprometido com o trabalho. Muito é perdoado durante os primeiros anos de provação. Mas, tão logo seja 'aceito', sua personalidade terá de desaparecer, e ele terá de tornar-se uma mera força beneficente da Natureza*".

Esta passagem para uma nova visão de plenitude parece a muitas pessoas apresentar um aspecto muito triste e sombrio. Sem termos nós mesmos realizado a grande travessia, nós a observamos, por assim dizer, de fora, e, então, nós a vemos sob seu aspecto negativo, seus defeitos e desilusões. Seu lado positivo não pode ser traduzido em palavras, uma vez que podemos falar uns com os outros apenas em relação às experiências que temos em comum e porque aqueles que a realizaram sobre ela não podem falar completa e significativamente aos que ainda não a fizeram.

Tão esplêndido, contudo, é o aspecto positivo da experiência, que o lado purgativo e negativo que necessariamente precede a plenitude tem pouca relevância. A união com o Amado, o completo e maravilhoso alívio da fome do coração, a satisfação de todos os anseios líricos, uma perfeita plenitude emocional, um gratificante envolvimento de corpo, mente e coração - tudo isso tem sido descrito a propósito da experiência. Mas as palavras não são apropriadas para expressar quão profunda é tal experiência. Palavras pertencem apenas aos meios caminhos da vida. E, assim como há uma fase nos primitivos começos da vida, quando as palavras ainda não são, também naquele supremo coroamento da vida há uma fase em que as palavras não são mais.

Leia também:

A DOUTRINA DO CORAÇÃO

Annie Besant

No texto *A Doutrina do Coração*, que é parte inicial desta edição, a autora publicou uma série de extratos de cartas que ela recebeu de correspondentes hindus, místicos e *yogis*, onde aborda questões vivenciais da Senda espiritual. Há ênfase nas diferentes etapas e dificuldades do processo do despertar interior.

Foram anexados dois pequenos e valiosos textos, de autoria de A. Besant. O primeiro, *A Vida Teosófica*, realça aspectos do viver diário, a reencarnação e o *karma*.

O segundo, *Revelação, Inspiração e Observação*, apresenta uma conferência realizada em 1909, onde a autora faz comentários sobre os diferentes tipos de textos para o uso do estudante: "Revelação" são os textos originais das Religiões, "Inspiração" são textos que têm como fonte um influxo de intuição superior e "Observação" são relatos pessoais de diferentes autores. Ela enfatiza a importância dos textos "inspirados" para o estudo do aspirante.

A TRADIÇÃO SABEDORIA
Uma Introdução à Filosofia Esotérica

Pedro Oliveira
Ricardo Lindemann

Como o próprio nome sugere, a Tradiçã[illegible] vem sendo transmitida através dos tempos, e é [illegible]sso também conhecida como Sabedoria Antiga ou Filosofia Perene.

Esta obra apresenta uma investigação a partir de paralelos com a Ciência contemporânea sobre as questões básicas da existência, tais como a natureza humana e sua constituição, o propósito da vida e da morte, o destino e o livre-arbítrio e as possibilidades evolutivas no ser humano e no Cosmos.

O próprio conceito de Cosmos como Universo ordenado pode ser encontrado no aspecto mais profundo ou esotérico das diversas filosofias da Antigüidade, bem como na visão científica de vanguarda.

O avanço da Ciência contemporânea levou a uma redescoberta das tradições do pensamento filosófico-religioso da Antigüidade e este livro propicia ressaltar a relevância para o momento presente de uma visão integrada do homem e do Universo.